EMPODERAMENTO

FEMINISMOS
PLURAIS
COORDENAÇÃO
DJAMILA **RIBEIRO**

JOICE
BERTH

EMPODERAMENTO

FEMINISMOS PLURAIS

COORDENAÇÃO
DJAMILA **RIBEIRO**

JOICE
BERTH

 jandaíra

SÃO PAULO | 2023
5ª REIMPRESSÃO

Copyright © 2019 Joice Berth
Todos os direitos reservados à Editora Jandaíra, uma marca da Pólen Produção Editorial Ldta., e protegidos pela lei 9.610, de 19.2.1998.
É proibida a reprodução total ou parcial sem a expressa anuência da editora.

Este livro foi revisado segundo o Novo Acordo Ortográfico da Língua Portuguesa.

Direção editorial
Lizandra Magon de Almeida

Coordenação editorial
Luana Balthazar

Revisão
Flávia Midori
Lizandra Magon de Almeida
Solaine Chioro

Projeto gráfico e diagramação
Daniel Mantovani

Foto de Capa
Diva Nassar

Dados Internacionais de Catalogação na Publicação (CIP)
Maria Helena Ferreira Xavier da Silva/ Bibliotecária – CRB-7/5688

Berth, Joice
Empoderamento / Joice Berth. – São Paulo: Sueli Carneiro; Jandaíra, 2023.
176 p. ; 15 cm. – (Feminismos Plurais)
ISBN 978-85-98349-75-6
1. Mulheres - Condições sociais. 2. Direitos das mulheres. 3. Mulher - Poder. 4. Mulheres negras - Condições sociais. 5. Feminismo. I. Ribeiro, Djamila, coord. II. Título. III. Série.
19-0703   CDD 305.56

Índices para catálogo sistemático: 1. Minorias - Poder

jandaíra
www.editorajandaira.com.br
atendimento@editorajandaira.com.br
(11) 3062-7909

AGRADECIMENTOS

Aos meus filhos, Caique, Marina, Priscilla e Camila, meus corações fora do peito.

Aos meus pais, avós e, em especial, às mulheres, pela vida e pelos ensinamentos abençoados.

Aos amigos-irmãos amados Djamila Ribeiro, Brenno Tardelli e Isis Vergílio, que tanto acreditaram em mim quanto ninguém antes.

Ao amparo espiritual e sempre fundamental da Seara de irmãos de umbanda e do babalorixá Rodney de Oxóssi.

SUMÁRIO

APRESENTAÇÃO 11

INTRODUÇÃO 17

BREVE HISTÓRICO DA PALAVRA EMPODERAMENTO 27

OPRESSÕES ESTRUTURAIS E EMPODERAMENTO:
UM AJUSTE NECESSÁRIO 49

ACESSO A MECANISMOS DE PARTICIPAÇÃO SOCIAL:
UM DEBATE SOBRE DEMOCRACIA E EMPODERAMENTO 81

RESSIGINIFICAÇÃO PELO FEMINISMO NEGRO 91

ESTÉTICA E AFETIVIDADE: NOÇÕES DE EMPODERAMENTO 111

CONSIDERAÇÕES FINAIS 151

NOTAS E REFERÊNCIAS 157

"A revolução começa comigo, no interior. É melhor reservarmos tempo para tornar nossos interiores revolucionários, nossas vidas revolucionárias, nossos relacionamentos revolucionários. A boca não vence a guerra."

Toni Cade Bambara, *Seeds of Revolution: a Collection of Axioms, Passages and Proverbs*

… APRESENTAÇÃO

FEMINISMOS PLURAIS

O objetivo da coleção Feminismos Plurais é trazer para o grande público questões importantes referentes aos mais diversos feminismos de forma didática e acessível. Por essa razão, propus a organização – uma vez que sou feminista e mestre em Filosofia – de uma série de livros imprescindíveis quando pensamos em produções intelectuais de grupos historicamente marginalizados: esses grupos como sujeitos políticos.

Escolhemos começar com o feminismo negro para explicitar os principais conceitos e definitivamente romper com a ideia de que não se está discutindo projetos. Ainda é muito comum dizer que o feminismo negro traz cisões ou separações, quando é justamente o contrário. Ao nomear as opressões de raça, classe e gênero, entende-se a necessidade de não hierarquizar opressões, de não criar, como diz Angela Davis, em *Mulheres negras na construção de uma nova utopia*, "primazia de uma opressão em relação a outras". Pensar em feminismo negro é justamente romper com a cisão criada numa sociedade desigual. Logo, é pensar projetos, novos marcos civilizatórios, para que pensemos um novo modelo de sociedade. Fora isso, é divulgar a produção intelectual de mulheres negras, colocando-as na condição de sujeitos e seres ativos que, historicamente, vêm fazendo resistência e reexistências.

Entendendo a linguagem como mecanismo de manutenção de poder, um dos objetivos da coleção é o compromisso com uma linguagem didática, atenta a um léxico que dê conta de pensar nossas produções e articulações políticas, de modo que seja acessível, como nos ensinam muitas feministas negras. Isso de forma alguma é ser palatável, pois as produções de feministas negras unem uma preocupação que vincula a sofisticação intelectual com a prática política.

Joice Berth, neste volume, apresenta a Teoria do Empoderamento a partir das reflexões de teóricos que hoje se dedicam ao tema. São pensadores que entendem o empoderamento como a aliança entre conscientizar-se criticamente e transformar na prática, algo contestador e revolucionário na sua essência.

Com vendas a um preço acessível, nosso objetivo é contribuir para a disseminação dessas produções. Para além desse título, abordamos temas como encarceramento, racismo estrutural, branquitude, lesbiandades, mulheres, indígenas e caribenhas, transexualidade, afetividade, interseccionalidade, empoderamento, masculinidades. É importante pontuar que essa coleção é organizada e escrita por mulheres negras e indígenas, e homens negros de regiões diversas do país, mostrando a importância de pautarmos como sujeitos as questões que são essenciais para o rompimento da narrativa dominante e não sermos tão somente capítulos em compêndios que ainda pensam a questão racial como recorte.

Grada Kilomba, em *Plantations Memories: Episodes of Everyday Racism*, diz:

> Esse livro pode ser concebido como um modo de "tornar-se um sujeito" porque nesses escritos eu procuro trazer à tona a realidade do racismo diário contado por mulheres negras baseado em suas subjetividades e próprias percepções. (KILOMBA, 2012, p. 12)

Sem termos a audácia de nos compararmos com o empreendimento de Kilomba, é o que também pretendemos com essa coleção. Aqui estamos falando "em nosso nome".[1]

Djamila Ribeiro

INTRODUÇÃO

Antes de iniciar as reflexões sobre as dimensões que envolvem os processos de empoderamento, é conveniente elucidar exatamente de que poder estamos falando quando utilizamos esse neologismo que significa, *grosso modo*, "dar poder".

Muitos escritos fazem esse questionamento supondo uma inviabilidade do uso do conceito por não entenderem quem dá poder e de que tipo de poder estamos falando.

Para aqueles que têm se dedicado aos estudos e reflexões sobre os efeitos tanto individuais quanto coletivos, acumulados por séculos de exploração, alienação e aliciamento de pessoas, o entendimento do que é poder é quase intuitivo. Mas, para aqueles que apenas sobrevivem às intempéries diárias do sistema de opressão e dominação presentes em suas vidas, também é intuitivo pensar no significado de poder sob um viés negativo ou, no mínimo, com alto potencial limitador da mobilidade social e jugo daqueles que não o têm.

O conceito de poder tem sido interpretado de diversas formas, mas, na definição de Hannah Arendt, que pensa em poder a partir da ação coletiva, temos a ideia que norteia o significado social e subjetivo de poder e que se aplica na compreensão do que falamos quando assumimos a necessidade de empoderar grupos minoritários, porque

> [...] o poder corresponde à habilidade humana não apenas para agir, mas para agir em conjunto. O poder nunca é propriedade de um indivíduo; pertence a um grupo e permanece em existência apenas na medida em que o grupo conserva-se unido. Quando dizemos que alguém está "no poder", na realidade nos referimos ao fato de que ele foi empossado por um certo número de pessoas para agir em seu nome. (ARENDT, 2001, p. 36)

Já o filósofo francês Michel Foucault, diferentemente da tradição da Ciência Política, pensou o poder não como algo que está localizado ou centrado em uma instituição. Enquanto na teoria política tradicional se atribui ao Estado o monopólio do poder, Foucault verifica uma espécie de microfísica do poder, articulado ao Estado, mas que atravessa toda a estrutura social. É importante salientar que o filósofo francês não está negando a importância do Estado nessa concepção, mas atentando para o fato de que as relações de poder ultrapassam o nível estatal e estão presentes em toda a sociedade. Sendo assim, o poder seria uma prática social construída historicamente. Em sua obra *Microfísica do poder*, Foucault afirma que o objetivo seria captar o poder em suas extremidades, em suas últimas ramificações,

> [...] captar o poder nas suas formas e instituições mais regionais e locais, principalmente no ponto em que ultrapassam as regras de direito que o organizam e delimitam. [...] Em outras palavras, captar o poder na extremidade cada vez menos jurídica de seu exercício. (FOUCAULT, 1979, p. 182)

Foucault salienta que as relações de poder de instituições, escolas e prisões são marcadas pela disciplina. Nesse sentido, faz a discussão sobre biopolítica e biopoder, de como os corpos e a educação são controlados por essa imposição normatizadora. Segundo o filósofo, a disciplina fabrica indivíduos, é uma técnica específica de poder que os domina. De acordo com sua análise, enquanto o sujeito é colocado em relações de produção e de significação, ele é, desse mesmo modo, colocado em relações de poder.

> [...] uma coação calculada, lentamente, percorre cada parte do corpo, tornando-se semelhante a algo que se fabrica, de uma massa

> informe, de um corpo inapto, fez-se a máquina de que se precisa, no automatismo dos hábitos. Na época clássica, se descobre o corpo como objeto e alvo de poder, ao corpo que se manipula, se modela, se treina, que obedece, responde, se torna hábil ou cujas forças se multiplicam. Enfim, torna-se um corpo dócil, que pode ser submetido, utilizado, transformado e aperfeiçoado. (FOUCAULT, 1987, p. 117-118)

Quando assumimos que estamos dando poder, em verdade estamos falando na condução articulada de indivíduos e grupos por diversos estágios de autoafirmação, autovalorização, autorreconhecimento e autoconhecimento tanto de si mesmo quanto de suas mais variadas habilidades humanas, de sua história e, principalmente, de um entendimento quanto a sua posição social e política e, por sua vez, um estado psicológico perceptivo do que se passa ao seu redor. Seria estimular, em algum nível, a autoaceitação de características culturais e estéticas herdadas pela ancestralidade que lhe é inerente, para que possa, devidamente munido de informações e novas percepções críticas sobre si mesmo e sobre o mundo em volta, e ainda de suas habilidades e características próprias, criar ou descobrir em si mesmo ferramentas ou poderes de atuação no meio em que vive e em prol da coletividade.

Essa é a síntese do poder a ser desenvolvido no processo de empoderamento ressignificado pelas diversas teorias do feminismo negro e interseccional. Diferentemente do que propuseram muitos de seus teóricos, o conceito de empoderamento é um instrumento de emancipação política e social e não se propõe "viciar" ou criar relações paternalistas, assistencialistas ou de dependência entre indivíduos, tampouco traçar regras homogêneas de como cada um pode contribuir e atuar para as lutas dentro dos grupos minoritários.

Muitas vezes, estar imerso na realidade opressiva impede uma percepção clara de si mesmo enquanto oprimido. A este nível, a percepção de si como contrário ao opressor não significa ainda que se comprometa a uma luta para superar a contradição: um polo não aspira a sua libertação, mas a sua identificação com o polo oposto. Trata-se de uma visão individualista devido a sua identificação com o opressor, sem a consciência de si mesmo enquanto pessoa, enquanto membro de uma classe oprimida. Não é com o objetivo de serem livres que desejam a reforma agrária, mas para adquirir uma terra e, desse modo, converterem-se em proprietários, ou, mais precisamente, em patrões de outros trabalhadores. Isso ilustra a afirmação segundo a qual, durante a fase inicial da luta, os oprimidos encontram no opressor seu "tipo de homem" (FREIRE, 1980, p. 31).

Portanto, absorver o significado atual de poder pressupõe que estejamos assentados passivamente em suas mais variadas falhas sistêmicas. Daí parte a necessidade de questionar continuamente de que poder estamos falando e quais os possíveis caminhos de trabalho social empregaremos, no sentido de não inverter a lógica atual, e sim de subvertê-la.

Trata-se, nesse momento, de uma boa oportunidade para discutir uma crítica feita ao termo "empoderamento", no sentido de que estaria confinado à subjugação implícita nas relações de poder. Nesse sentido, alguns teóricos preferem o termo "fortalecimento". No entanto, o empoderamento que seguimos neste trabalho não visa retirar poder de um para dar a outro a ponto de inverter os polos de opressão, e sim uma postura de enfrentamento da opressão para eliminação da situação injusta e equalização de existências em sociedade.

Empoderar, dentro das premissas sugeridas, é, antes de tudo, pensar em caminhos de reconstrução das bases sociopolíticas, rompendo concomitantemente com o que está posto, entendendo ser esta a formação de todas as vertentes opressoras que temos visto ao longo da História. Esse entendimento é um dos escudos mais eficientes no combate à banalização e ao esvaziamento de toda a teoria construída e de sua aplicação como instrumento de transformação social. Nesse sentido, vale citar a intelectual indiana Batliwala, em "Conceituando 'empoderamento' na perspectiva feminista", de Cecília M. B. Sardenberg:

> O termo empoderamento se refere a uma gama de atividades, da assertividade individual até a resistência, protesto e mobilização coletivas, que questionam as bases das relações de poder. No caso de indivíduos e grupos

> cujo acesso aos recursos e poder são determinados por classe, casta, etnicidade e gênero, o empoderamento começa quando eles não apenas reconhecem as forças sistêmicas que os oprimem, como também atuam no sentido de mudar as relações de poder existentes. Portanto, o empoderamento é um processo dirigido para a transformação da natureza e direção das forças sistêmicas que marginalizam as mulheres e outros setores excluídos em determinados contextos. (BATLIWALA, 1994, p. 130 apud SARDENBERG, 2006, p. 6)

Sendo assim, faz-se necessária a análise de Patricia Hill Collins, que remete ao processo de empoderamento muito mais como um movimento de resposta interna ao estímulo externo do que o contrário. Em *Aprendendo com a outsider within* – o qual, em tradução livre, seria o mais próximo de "forasteira de dentro" –, a pensadora Patricia Hill Collins dá três chaves do pensamento feminista afro-americano, que podem alavancar a aplicabilidade da Teoria do Empoderamento:

> Uma afirmação da importância da autodefinição e da autoavaliação das mulheres negras é o primeiro tema-chave que permeia declarações históricas e contemporâneas do pensamento feminista negro. Autodefinição envolve desafiar o processo de validação do conhecimento político que resultou em imagens estereotipadas externamente definidas da condição feminina afro-americana. Em contrapartida, a

> autoavaliação enfatiza o conteúdo específico das autodefinições das mulheres negras, substituindo imagens externamente definidas com imagens autênticas de mulheres negras. (COLLINS, 2016, p. 102)

O prefixo "auto" cabe aqui como indicativo de que os processos de empoderamento, embora possam receber estímulos externos diversos da academia, das artes, da política, da psicologia, das vivências cotidianas etc., são uma movimentação interna de tomada de consciência ou do despertar de diversas potencialidades que definirão estratégias de enfrentamento das práticas do sistema de dominação machista e racista. Há que se definir esses parâmetros, uma vez que a ausência dessas considerações provoca a execução inversa do que prega o conceito de empoderamento, pois não fornece estratégias para a libertação individual a serviço da emancipação coletiva, mas cria sistemas de dependência em que indivíduos negros ou de outras vivências de gênero não apenas deixam de entender o significado, como passam a usá-lo a serviço de suas reproduções das práticas internalizadas de racismo e sexismo.

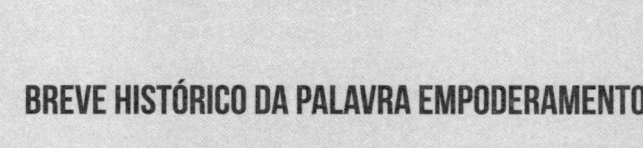

BREVE HISTÓRICO DA PALAVRA EMPODERAMENTO

Power é um substantivo da língua inglesa que significa basicamente habilidade ou permissão para que alguém realize alguma coisa. Também pode significar autoridade, força, entre outras coisas (CAMBRIDGE DICTIONARY, 2018). Já a palavra *empower*, que, de acordo com o *Merriam-Webster Dictionary*, um dos mais confiáveis dicionários dos Estados Unidos e que pertence à marca homônima, muito conhecida no mercado editorial, foi usada pela primeira vez em 1651, a partir de uma adaptação específica de *verbing*, que consiste em transformar um substantivo em verbo. Logo, o significado ao pé da letra de *empower* é dar poder ou habilidade a algo ou a alguém.

A formação da palavra inglesa muito se assemelha ao processo de formação da correspondente na língua portuguesa. No Brasil, "empoderamento" é um neologismo (DICIONÁRIO AURÉLIO DE PORTUGUÊS ON-LINE, 2018), ou seja, um fenômeno linguístico que cria uma palavra ou uma expressão ou, ainda, atribui um novo sentido a uma palavra já existente. Em geral, esse fenômeno acontece quando uma pessoa tenta expressar algo e não encontra um termo preciso, então ocorre uma adaptação ou criação a partir de uma palavra já existente e conhecida que produz um significado aproximado. Um bom exemplo desse fenômeno linguístico é o vocábulo "deletar", que atualmente substitui em muitos diálogos o verbo "apagar", advindo do inglês *delete*, que foi incorporado ao nosso idioma pelo uso massivo dos computadores.

No *Cambridge Dictionary*, dicionário da britânica Universidade de Cambridge, a palavra *empowerment*, cunhada pelo sociólogo estadunidense Julian Rappaport em 1977, registra o seguinte significado: "o processo de ganhar liberdade e poder para fazer o que você quer ou controlar o que acontece com você".[2] Da mesma forma, "empoderamento", ao pé da letra, significa dar poder ou capacitar. Para o sociólogo, era preciso instrumentalizar certos grupos oprimidos para que pudessem ter autonomia.

Ainda sobre a formação da palavra, como aponta Rute Baquero, professora da Universidade do Vale do Rio dos Sinos, no *Dicionário de Língua Portuguesa Contemporânea* da Academia Ciências de Lisboa e registrado no MorDebe[3], "empoderamento" aparece descrito como um anglicismo formado a partir da língua portuguesa e que significa obtenção, alargamento ou reforço do poder.

Cabe lembrar que a origem da palavra é inglesa, com elementos de latim em sua formação, e que não existe ainda correspondência nos dicionários que usamos atualmente. Contextualizando:

> De todas as palavras-chave que entraram no léxico do desenvolvimento nos últimos trinta anos, o "empoderamento" é provavelmente o mais usado e abusado. Como muitos outros termos importantes que foram inventados para representar um conceito político claro, ele foi "incorporado" de uma forma que praticamente o roubou de seu significado original e valor estratégico. (BATLIWALA, 2017, on-line, tradução minha)[4]

Quando falamos em empoderamento, sobretudo nos dias de hoje, concluímos que estamos diante de um conceito complexo, muito distorcido e incompreendido, o que se deve em grande parte ao debate acrítico sobre o tema. Exatamente por isso o termo também vem sendo severamente criticado, não por seu significado, mas pela maneira esvaziada com que é utilizado e que foge completamente das raízes da teoria proposta – como veremos mais à frente. É um exaustivo exercício de pesquisa atentar-se e identificar o que deve ou não ser levado em consideração, dada a vasta gama de citações e literatura a respeito nos mais diversos campos do pensamento. Contudo, apesar do esvaziamento, destacam-se alguns trabalhos realizados, cuja seriedade e profundidade fazem com que sejam indispensáveis para a compreensão.

Encontramos em Perkins e Zimmerman, por exemplo, uma definição interessante da Teoria do Empoderamento, capaz de traçar um ponto de partida para as reflexões que serão apresentadas:

> O empoderamento é uma construção que liga forças e competências individuais, sistemas naturais de suporte e comportamento pró-ativo no âmbito das políticas e mudanças sociais (Rappaport, 1981, 1984). A pesquisa e a intervenção da teoria do empoderamento unem o bem-estar individual ao meio político e social mais amplo. Teoricamente, a construção une a saúde mental à ajuda mútua e luta para criar uma resposta comunitária. Isso nos obriga a pensar em termos de bem-estar *versus* doença, competências *versus* déficits e força *versus* fraquezas. Da mesma forma, a pesquisa sobre empoderamento centra-se na identificação de capacidades, em vez de enfatizar fatores de risco e explorar influências problemáticas do meio social ou em vez de culpar as vítimas. (PERKINS; ZIMMERMAN, 1995, p. 570, tradução minha)[5]

É razoável dizer que esses autores, que definem empoderamento enquanto teoria, foram assertivos ao comparar diversas fontes autorais que versam sobre o tema e identificam os pontos em comum para, então, trazer a definição supracitada, como bem pontuam no mesmo artigo:

As definições de empoderamento abundam. Não pedimos aos autores nesta questão especial que adotem qualquer definição específica. Contudo, pedimos que considerassem cuidadosamente sua própria concepção de empoderamento e tornassem suas definições tão claras quanto possível. Embora exijamos ao leitor comparar a conceitualização de cada artigo, todos eles implicam que o empoderamento é mais do que o construto psicológico tradicional com o qual às vezes é comparado ou confundido (por exemplo, autoestima, autoeficácia, competência, autocontrole). As várias definições geralmente são compatíveis com o empoderamento como "um centralizador de processos contínuos intencionais na comunidade local, envolvendo respeito mútuo, reflexões críticas, cuidados e participação grupal, por meio das quais pessoas enfraquecidas possam se valer da distribuição igualitária de recursos necessários, tendo facilitado o acesso e controle sobre esses recursos" (Cornell Empowerment Group, 1989), ou simplesmente um processo pelo qual as pessoas têm controle sobre suas vidas (Rappaport, 1987), participações democráticas na vida de sua comunidade e uma compreensão crítica do meio que as cerca (Zimmerman, Israel, Schulz, Checkoway, 1992). (PERKINS; ZIMMERMAN, 1995, p. 570, tradução minha)[6]

Contudo, essas definições iniciais não apenas servem de ponto de partida para a compreensão da teoria, como sustentam os apontamentos feitos por Rute Baquero (2012) sobre a possível raiz do conceito. Segundo a autora, o viés conceitual tem estreita ligação com a Reforma Protestante realizada na Europa no século XVI, que foi desencadeada pelo monge e professor de teologia bíblica Martinho Lutero. Além de desenvolver 95 teses criticando a estrutura corrupta da Igreja naquele período da História, ele traduziu para o alemão os escritos bíblicos, que até então eram em latim, o que dificultava o acesso pelas camadas mais pobres da população da época e abria a possibilidade de manipulações de acordo com os interesses de parte expressiva do clero.

Ao popularizar esses escritos, Lutero confronta o controle hegemônico da informação pelo clero, dando acesso às classes desfavorecidas, que, por não dominar o latim, aceitavam o que lhes era fornecido como palavra de Deus. Esse raciocínio indica que o poder da informação já era exercido como instrumento de manipulação e hierarquia social, conforme revela o artigo da pesquisadora que muito se dedicou ao entendimento da Teoria do Empoderamento:

> A escrita sempre esteve, de alguma forma, associada ao poder. Nas civilizações antigas, os escribas detinham o poder da escrita, pois o domínio dessa tecnologia era de conhecimento restrito. Esse poder os aproximava das classes dominantes (reis, faraós) que sancionavam as informações que deveriam ser registradas.

> Assim, poucos tinham o poder de decidir o que seria ou não registrado, poucos tinham o poder – a capacidade de fazer – este registro e, portanto, de decifrá-lo. O processo de Reforma, iniciado por Lutero no século XVI, na Europa, oportuniza, com certas restrições, um empoderamento por parte das pessoas, pois a tradução da Bíblia do latim para o dialeto local – o que contribuiu para a afirmação deste, futuramente, como idioma oficial da Alemanha – possibilitou a leitura dos "textos sagrados" entre a comunidade, a qual, por conseguinte, passa a realizar sua leitura e sua hermenêutica, tornando-se sujeito de sua religiosidade. (BAQUERO, 2012, p. 175)

Baquero dá um importante caminho para a compreensão histórica da Teoria do Empoderamento, bem como uma de suas principais dimensões: a da informação como instrumento de libertação. Julguei importante levantar uma investigação genealógica sobre diferentes abordagens do empoderamento, antes de adentrar nas imbricações profundas reveladas por pensamentos e epistemologias negros, que trazem intersecções que se contrapõem à narrativa universal. Entendo também que seja de suma importância destacar e levar ao conhecimento de pessoas que se interessam pelo tema da produção intelectual de homens e, sobretudo, mulheres negras, uma vez que estas contam com ainda maior invisibilidade, apesar de suas brilhantes e fundamentais contribuições.

Iniciaremos, portanto, com Barbara Bryant Solomon, uma intelectual negra e assistente social premiada tanto nos Estados Unidos quanto na Europa por suas reflexões e projetos, com destaque para a formação da "Iniciativa Acadêmica Comunitária", voltada a incluir jovens desfavorecidos na universidade, o que no Brasil chamamos de cursos preparatórios populares, além de ser professora da Southern California University e autora do livro *Black Empowerment: Social Work in Oppressed Communities* ("Empoderamento negro: trabalho social em comunidades oprimidas", em tradução livre), publicado em 1976. Importante ressaltar que, além de acadêmica, ela trabalhou por mais de 50 anos como assistente social, atuando pela saúde mental e pelo fortalecimento social de comunidades étnicas e de minorias, além de desenvolver métodos de pesquisa de dados importantes do e para o lugar social de grupos sub-representados.

Em seu livro, direcionado a profissionais do Serviço Social, a acadêmica descreve a forma pela qual as comunidades negras são retratadas negativamente, e o impacto que isso teve na autoimagem dessas comunidades. Nesse sentido, profissionais estavam se tornando mais atentos à importância dos fatores étnicos em seus trabalhos para que estes pudessem causar um impacto mais efetivo na melhora da qualidade de vida desses grupos. Para a autora, o contexto sócio-histórico é fundamental para pensar a resolução de problemas referentes à população negra. Ou seja, é crucial considerar a realidade concreta desses grupos e criar ferramentas emancipatórias para o acesso a uma vida mais digna:

> Os efeitos das imagens negativas do negro são traçados em como eles operam em grandes instituições sociais, como a família, grupos de pares e escolas. Esses efeitos estão ligados ao surgimento de problemas pessoais e sociais característicos encontrados em comunidades negras. Seguindo uma discussão anterior, o empoderamento é definido como um processo pelo qual a autodireção e o processo de ajuda são as forças de cura e fortalecimento entre a população negra. (SOLOMON, 1976, p. 27, tradução minha)[7]

Solomon inaugurou a aplicação da Teoria do Empoderamento para pesquisa e gestão social de populações invisibilizadas pelo olhar dominante, lembrando que Lutero popularizou a informação que não chegava a povos de baixa renda e, certamente, oprimidos. Nesse sentido, vale trazer as reflexões de Anne-Emmanuèle Calvès, doutora em Sociologia e professora titular da Universidade de Montreal:

> O empoderamento refere-se a princípios, como a capacidade de indivíduos e grupos agirem para garantir seu próprio bem-estar ou seu direito de participar da tomada de

> decisões que lhes dizem respeito, que orientaram pesquisa e intervenção social entre populações pobres e marginalizadas por várias décadas nos Estados Unidos (Simon, 1994). Não até a década de 1970, e especialmente em 1976, com a publicação de *Black Empowerment: Social Work in Oppressed Communities* por Barbara Solomon, no entanto, o termo formalmente entrou em uso por provedores de serviços sociais e pesquisadores. (CALVÈS, 2009, p. 737, tradução minha)[8]

Desde já, percebe-se que Solomon alia seu estudo à prática profissional do Serviço Social emancipatória de grupos oprimidos, os quais, anteriormente, em séculos de estudo sobre o tema, não se encontravam como elemento principal de análise. Vemos, então, um dos principais pontos revolucionários da epistemologia negra, qual seja, a transformação concreta em comunidades, por meio do trabalho de base e compromisso ético com a pesquisa acadêmica, atingindo resultados que o conceito nem sempre alcança, posto que muitas vezes está cercado pelos muros da intelectualidade dominante.

Encontramos outras referências ao trabalho de Barbara Bryant Solomon, que a colocam como precursora do trabalho aplicado da Teoria do Empoderamento em comunidades oprimidas, referenciando seus estudos e trabalhos em Serviço Social realizados com a população negra. No entanto, vale dizer, porém, que diversas literaturas apontam o educador brasileiro premiado mundialmente e mais citado no exterior, Paulo Freire, como um dos precursores da análise aplicada à realidade de grupos oprimidos, quando pensou na década de 1960 sobre a Teoria da Conscientização, a qual inspirou a Teoria do Empoderamento, como veremos a partir de agora.

O educador é da tradição de pensadores e pensadoras que refletem a partir da realidade concreta, concebendo, assim, a Teoria da Conscientização como uma prática para a libertação e de estratégias de atuação de grupos oprimidos. Ao contrário de Julian Rappaport (1981), Freire não acredita que é necessário dar ferramentas para que grupos oprimidos se empoderem; em vez disso, afirma que os próprios grupos subalternizados deveriam empoderar a si próprios, processo esse que se inicia com a consciência crítica da realidade aliada a uma prática transformadora. Sendo assim, ele refuta o paternalismo, que chama de forma dócil de "subjugação". Em sua análise, Freire afirma que a consciência crítica "é a representação das coisas e dos fatos como se dão na existência empírica" (FREIRE, 1986, p. 105-106), bem como em suas correlações causais e circunstanciais. Já o que ele chama de consciência ingênua seria aquela que se sobrepõe aos fatos, com o objetivo de dominação e, justamente por isso, julgando entendê-los conforme seu desejo. A consciência mágica, ao contrário da ingênua, teria como objetivo a docilidade, a inércia diante dos fatos, características próprias também da consciência fanática, que seria, para ele, a patologia, a cólera da consciência ingênua. Afirma o autor:

> Acontece, porém, que a toda compreensão de algo corresponde, cedo ou tarde, uma ação. Captado um desafio, compreendido, admitidas as hipóteses de resposta, o homem age. A natureza da ação corresponde à natureza da compreensão. Se a compreensão é crítica ou preponderantemente crítica, a ação também o será. Se é mágica a compreensão, mágica será a ação. (FREIRE, 1987, p. 18)

Freire, que recebeu 29 títulos de Honoris Causa, desenvolveu uma pedagogia crítica, pois pensava a educação como um ato político. Em uma de suas obras mais conhecidas, *A pedagogia do oprimido*, publicada em 1968, enquanto estava no Chile exilado pela Ditadura Militar brasileira, o educador e filósofo anteviu uma postura revolucionária em seus leitores. Para o autor, sua obra seria de interesse de pessoas radicais, que se interessariam pela transformação real da sociedade e responsáveis pela efetiva prática e conduta de transformação pelo pensamento consciente e libertário de povos oprimidos. Em linguagem totalizante, marcada pelo objetivo da libertação dos homens, limitação de seu pensamento que será posteriormente aprofundada, conseguimos ter uma boa compreensão do que significa ser um radical na visão do autor, que afirma que:

> O radical, comprometido com a libertação dos homens, não se deixa prender em "círculos de segurança", nos quais aprisione também a realidade. Tão mais radical quanto mais se inscreve nesta realidade para, conhecendo-a melhor, melhor poder transformá-la. Não teme enfrentar, não teme ouvir, não teme o desvelamento do mundo. Não teme o encontro com o povo. Não teme o diálogo com ele, de que resulta o crescente saber de ambos. Não se sente dono do tempo, nem dono dos homens, nem libertador dos oprimidos. Com eles se compromete, dentro do tempo, para com eles lutar. (FREIRE, 1987, p. 16)

A forma como o pensador reflete o radical é interessante e dialoga com uma série de elementos necessários para a união entre consciência e prática. Percebemos, pelo pensamento de Freire, que a pessoa radical pela transformação da realidade degradante que atinge vários povos é uma pessoa que se interessa e busca informação, mergulha na realidade tão profundamente quanto queira transformá-la, bem como escuta, se compromete e compartilha espaço. Vejo que suas reflexões dialogam com Djamila Ribeiro quando a filósofa pensa o conceito de empatia. Para ela, empatia não é um sentimento que pode acometer um indivíduo um dia, outro não, e sim uma construção intelectual que demanda esforço e disponibilidade para aprender e ouvir. Tão mais empática a pessoa será quanto mais ela conhecer a realidade que denuncia uma opressão.

Paulo Freire alerta, porém, que certas pessoas não ultrapassariam as primeiras páginas de seus livros. Umas por julgarem ser blá-blá-blá, expressão semelhante ao "mimimi" empregado nas redes sociais, a quem pensavam que se perderia por tratar de temas como diálogo, esperança, humildade, simpatia; já outras "por não quererem ou não poderem aceitar as críticas e a denúncia que fazemos da situação opressora, situação em que os opressores se 'gratificam' através de sua falsa generosidade" (FREIRE, 1987, p. 16). Nesse sentido, Freire denunciava reações intolerantes de pessoas que não sabiam lidar com a denúncia concreta de situações opressoras e rechaçavam de pronto reflexões sobre teorias e práticas transformadoras. A essas reações, o educador chamou de sectárias. Vale destacar que o autor atentou para o fato de que esse sectarismo aflige, inclusive, mentes revolucionárias, sendo um importante ponto de destaque, principalmente diante da realidade concreta atual, quando a Teoria do Empoderamento, que inspira extensa e rica produção, é muitas vezes alvo de deslegitimação, inclusive por pessoas do campo progressista, as quais, não raro, confundem-se com a figura do opressor. Nesse sentido, destaca-se:

> Enquanto a sectarização é mítica, por isto alienante, a radicalização é crítica, por isto libertadora. Libertadora porque, implicando no enraizamento que os homens fazem na op-

> ção que fizeram, os engaja cada vez mais no esforço de transformação da realidade concreta, objetiva. A sectarização, porque mítica e irracional, transforma a realidade numa falsa realidade, que, assim, não pode ser mudada. (FREIRE; SHOR, 1986, passim)

Freire apresenta uma densa análise sobre a sociedade de classes e sua relação de exploração com as classes menos favorecidas, entre as quais ele nomeia uma relação entre colonizador e colonizado, mostrando as implicações dessas relações desiguais. Se o educador foi, conforme apontam diversos estudiosos, o precursor da Teoria do Empoderamento quando trouxe ao mundo a Teoria da Conscientização, mais adiante ele mesmo demonstra preocupação com a distorção que o conceito permite em *Medo e ousadia: cotidiano do professor* (1986), que assina com o professor Ira Shor. É nesse livro que os autores transcrevem um diálogo reflexivo entre dois educadores, alertando para a necessidade de não pensar no conceito como uma fórmula instantânea que vai permitir uma ascensão compulsória para grupos oprimidos. Eles salientam também que o trabalho teórico que se estabelece deve ser concomitante com a aplicabilidade no meio em que se faz necessário. Escrevem que:

> Esta é a questão. Não acredito na autolibertação. A libertação é um ato social. [...] Não, não, não. Mesmo quando você se sente, individualmente, mais livre, se esse sentimento não

> é um sentimento social, se você não é capaz de usar sua liberdade recente para ajudar os outros a se libertarem através da transformação global da sociedade, então você só está exercitando uma atitude individualista no sentido do *empowerment* ou da liberdade. Deixe-me aprofundar um pouco mais nessa questão do *empowerment*. [...] Enquanto que o *empowerment* individual ou o *empowerment* de alguns alunos, ou a sensação de ter mudado, não é suficiente no que diz respeito à transformação da sociedade como um todo, é absolutamente necessário para o processo de transformação social. [...] Sua curiosidade, sua percepção crítica da realidade são fundamentais para a transformação social, mas não são, por si sós, suficientes. (FREIRE; SHOR, 1986, p. 71)[9]

Logo, percebe-se que Freire teoriza a conscientização a partir do social e do coletivo, e não apenas a partir do individual, como muitas vezes vemos sendo aplicado o conceito. O educador brasileiro dialogou internacionalmente e inspirou a união do pensamento com a transformação social, a alteração material das condições degradantes às quais um grupo social é submetido. Cabe destacar que foram grandes as referências de Freire ao intelectual negro Guerreiro Ramos.

Ainda que Paulo Freire passe por diversos autores e que suas reflexões tenham sido decisivas para o desenvolvimento da teoria e sua aplicação correta nos meios necessários, parte do movimento feminista da década de 1980 questiona a abordagem e o direcionamento da teoria proposta pelo educador, que seria limitada por não ter se atentado para o fato de que o oprimido não é um conceito abstrato, mas é marcado por gênero, raça, sexualidade e outras categorias. A abordagem de Freire serve inegavelmente para a compreensão de caminhos e estratégias de erradicação de desigualdades, e inclusive é um dos alicerces do pensamento da feminista negra norte-americana bell hooks, que nos aprofundaremos nos próximos capítulos, mas vale dizer que tanto ela quanto outras pessoas que se debruçaram sobre o tema sofisticaram a análise ao refletir as intersecções de grupos que combinam opressões. Nesse sentido, trazemos a reflexão da feminista e pesquisadora indiana Srilatha Batliwala que reflete que:

> O conceito de empoderamento feminino surgiu de críticas e debates gerados pelo movimento das mulheres durante a década de 1980, quando as feministas, especialmente no que era então conhecido mais amplamente como "terceiro mundo" (antes do termo "sul global" ter ganhado notoriedade), se viram cada vez mais descontentes com os modelos em grande medida apolíticos e econômicos na maioria das intervenções de desenvolvimento. (BATLIWALA, 2017, on-line, tradução minha)[10]

Na época, havia uma crescente interação entre o feminismo e a abordagem da conscientização desenvolvida por Paulo Freire na América Latina. Mas se

Freire ignorou o gênero e a subordinação das mulheres como elemento crítico para a libertação, havia outras visões importantes influenciando ativistas e movimentos sociais que emergiram naquele momento, entre eles a redescoberta dos "subalternos", de Antonio Gramsci, o papel hegemônico das ideologias dominantes e o despontar das teorias da construção social e pós-colonial.

Cabe aqui um parêntese para lembrar o primeiro volume da coleção Feminismos Plurais, livro escrito pela filósofa Djamila Ribeiro, que traz a explanação teórica do que vem a ser lugar de fala (RIBEIRO, 2017), e o artigo "Pensando como um negro", do Dr. Adilson J. Moreira (2017). Ambos os trabalhos refletem em que medida o posicionamento social determina a profundidade de ações ou reflexões que versam sobre as desigualdades sociais. Muitos estudiosos propagam pesquisas importantes sobre agendas que podem eliminar as desigualdades. Entretanto, devemos prestar atenção nos limites dessas proposições e articulações do pensamento, uma vez que, enquanto não damos voz a pensamentos específicos de intelectuais que se formam dentro dos grupos diretamente atingidos, não temos a dimensão exata de quais ações realmente desencadeiam mudanças.

Como é possível observar nessa breve contextualização, são muitas as definições e literaturas que versam sobre empoderamento, mas podemos destacar os principais pontos de confluência:

1. a discussão semântica, por se tratar de um neologismo e tradução de *empowerment*, do inglês, e há autores que creditam a Paulo Freire essa criação;

2. a diferença entre a definição de Rappaport e Freire. Se, para o primeiro, empoderamento é viabilizar instrumentos para que os grupos oprimidos possam ser fortalecidos, para o segundo, os próprios grupos oprimidos devem empoderar a si mesmos, desconfiando da docilidade das classes dominantes e das estruturas de poder;

3. a influência do pensamento de Barbara Bryant Solomon, com o objetivo de pensar empoderamento como metodologia para profissionais do Serviço Social, e de Paulo Freire, com seus trabalhos na Teoria do Empoderamento e na Teoria da Conscientização Crítica de indivíduos, leva a crer que é possível que os mesmos desenvolvam sozinhos habilidades adormecidas pela atuação no meio em que vivem;

4. o empoderamento como teoria está estritamente ligado ao trabalho social de desenvolvimento estratégico e recuperação consciente das potencialidades de indivíduos vitimados pelos sistemas de opressão, e visa principalmente a libertação social de todo um grupo, a partir de um processo amplo e em diversas frentes de atuação, incluindo a emancipação intelectual. Solomon pensou o empoderamento aplicado a profissionais do Serviço Social e comunidades oprimidas. A Teoria do Empoderamento, na concepção de Freire, vem da Teoria da Conscientização Crítica;

5. para fins de síntese, é importante destacar a definição da professora feminista norte-americana Nelly Stromquist:

> O empoderamento consiste de quatro dimensões, cada uma igualmente importante, mas não suficiente por si própria, para levar as mulheres a atuarem em seu próprio benefício. São elas a dimensão cognitiva (visão crítica da realidade), psicológica (sentimento de autoestima), política (consciência das desigualdades de poder e a capacidade de se organizar e se mobilizar) e a econômica (capacidade de gerar renda independente). (STROMQUIST, 2002, p. 232 apud SARDENBERG, 2006, p. 6)

OPRESSÕES ESTRUTURAIS E EMPODERAMENTO: UM AJUSTE NECESSÁRIO

Por todas as informações que foram elencadas, abre-se um momento importante neste capítulo para pensarmos quão imperativo é ajustar as discussões acerca da Teoria do Empoderamento ao exato entendimento das dinâmicas e dos significados das opressões estruturais e sua relação indissociável com o conceito, bem como com a aplicabilidade da teoria.

O movimento feminista, sobretudo aquele que foi construído a partir do rompimento com a ideia universal da categoria mulher, ou seja, ressignificando categorias diversas de mulheres pela premissa da interseccionalidade – negras, indígenas, latino-americanas e mulheres de cor ou não brancas, entre outras –, é que acaba por reestruturar as bases iniciais para o entendimento e a aplicabilidade, bem como para a detecção de fissuras e distorções que necessitavam de atenção. Essa concepção é fundamental para pensar as desigualdades por uma perspectiva de gênero, partindo dos lugares sociais das mulheres.

Outra questão fundamental é aprofundar essa análise, posto que atualmente se passou a esvaziar essa perspectiva para um "empoderamento feminino", que mais parece uma tautologia que se resume em não explicar a origem do conceito e nem a que se propõe, ou seja, promove a despolitização do conceito, reduzindo-o a mera expressão das liberdades individuais.

Essa visão superficial, que se descola da proposta pelas feministas do Sul Global, levou a desentendimentos, ou melhor, ao entendimento de que empoderamento feminino é a superação individual de certas opressões, mas sem romper de fato com as estruturas opressoras. Explico: é julgar que se empoderar é transcender individualmente certas barreiras, mas seguir reproduzindo lógicas de opressões com outros grupos, em vez de se pensar no empoderamento como conjuntos de estratégias necessariamente antirracistas, antissexistas e anticapitalistas e como as articulações políticas de dominação que essas condições representam.

Essa definição autocentrada, já refutada por Freire, gera essa incógnita relação entre individual e coletivo nos processos de empoderamento. Nesse sentido, vale destacar as reflexões da socióloga colombiana Madalena León:

> Uma das contradições fundamentais do uso do termo "empoderamento" se expressa no debate entre o empoderamento individual e o coletivo. Para quem usa o conceito na perspectiva individual, com ênfase nos processos cognitivos, o empoderamento se circunscreve ao sentido que os indivíduos se autoconferem. Toma um sentido de domínio e controle individual, de controle pessoal.
> E "fazer as coisas por si mesmo", "ter êxito sem a ajuda dos outros". Esta é uma visão individualista, que chega a assinalar como prioridade que os sujeitos sejam independentes e autônomos no sentido de domínio de si mesmos, e descarta as relações entre as estruturas de poder e as práticas da vida cotidiana de indivíduos e grupos, além de desconectar as pessoas do amplo contexto sócio-político, histórico, de solidariedade e do que representa a cooperação e a importância de preocupar-se com o outro. (LEÓN, 2001, p. 97, tradução minha)[11]

Ora, se a coletividade é o resultado da junção de muitos indivíduos que apresentam algum – ou alguns – elemento em comum, estamos falando de um processo que se retroalimenta continuamente. Indivíduos empoderados formam uma coletividade empoderada e uma coletividade empoderada, consequentemente, será formada por indivíduos com alto grau de recuperação da consciência do seu eu social, de suas implicações e agravantes. León segue afirmando quanto esse empoderamento individual pode ser uma ilusão, pois, em sua visão, o empoderamento precisa incluir mudanças individuais e coletivas em

> [...] um processo desenvolvido com a comunidade, com cooperação e solidariedade. Ao levar em conta o processo histórico que cria a falta de poder, torna-se evidente a necessidade de alterar as estruturas sociais atuais; isto é, reconhecer o imperativo da mudança. (LEÓN, 2001, p. 97, tradução minha)[12]

Como bem ressalta León, toda e qualquer ação que se pense sob a perspectiva da Teoria do Empoderamento visa primordialmente a mudança social com rompimento ativo e processual, tanto coletivo quanto individual, das estruturas de poder que foram articuladas para serem hierarquizantes à custa da escassez de grupos situados na base.

Trata-se da antítese de uma visão liberal de dimensionamento meramente individual do empoderamento, uma vez que parte de grupos sociais e transformações coletivas em grupos historicamente oprimidos por uma estrutura dominante.

Há que se deixar muito bem pontuado que, uma vez que se trata de instrumento importante nas lutas emancipatórias de minorias sociais, sobretudo de cunho racial e de gênero, não podemos cair na vala comum e seguir permitindo que o termo padeça de relevância prática e ideológica por cair nas raias do pensamento liberal, servindo, assim, de sustentação do saber que fatalmente é a raiz da situação que cria a necessidade de haver um processo de empoderamento.

Vale dizer que isso não significa que a dimensão individual esteja alijada do processo, ao contrário: o empoderamento individual e coletivo são duas faces indissociáveis do mesmo processo. O empoderamento individual está fadado ao empoderamento coletivo, uma vez que uma coletividade empoderada não pode ser formada por individualidades e subjetividades que não estejam conscientemente atuantes dentro de processos de empoderamento.

É o empoderamento um fator resultante da junção de indivíduos que se reconstroem e desconstroem em um processo contínuo que culmina em empoderamento prático da coletividade, tendo como resposta as transformações sociais que serão desfrutadas por todos e todas. Em outras palavras, se o empoderamento, no seu sentido mais genuíno, visa a estrada para a contraposição fortalecida ao sistema dominante, a movimentação de indivíduos rumo ao empoderamento é bem-vinda, desde que não se desconecte de sua razão coletiva de ser. Como dito anteriormente, partindo das reflexões de Paulo Freire, a consciência crítica é condição indissociável do empoderamento.

Traçando uma analogia simples, se o empoderamento fosse uma casa, os indivíduos seriam seus materiais de construção – tijolos, argamassa, telhado, piso, pintura etc. Serão adquiridos e trabalhados para que a união de todos se transforme na tão sonhada moradia.

Pois bem, não apostamos na sorte ou em uma consciência ingênua ou mágica como postulou Freire – leia-se aqui: teorias esvaziadas de uma prática real. Esses elementos construtivos precisam ter uma qualidade individual para que o resultado seja igualmente qualitativo. Se isolados, não conseguem complementar a função inicial que é edificar a moradia.

Ressalte-se que o fato de um sujeito pertencente a um grupo oprimido ter desenvolvido pensamento crítico acerca de sua realidade não retira a dimensão estrutural que o coloca sob situações degradantes. Essa é uma das razões pelas quais o empoderamento é um processo gradual. Exemplificando o exposto, pensemos em um rapaz negro, brasileiro, que teve seus talentos reconhecidos e passou a ser absorvido nos meios de privilégio do topo da pirâmide social. Embora ele esteja economicamente em mobilidade social ascendente e tenha saído do lugar de subalternidade reservado para sua coletividade, a marca expressa por sua negritude não permitirá que o vínculo social e permanente com a coletividade seja rompido. Enquanto essa comunidade não se empoderar, ele continuará em constante fragilidade social e exposto às violências que atingem sua coletividade, como o genocídio. Seria preciso estabelecer a necessidade de avaliar e articular diversas dimensões de trabalho rumo à aplicação da Teoria do Empoderamento como instrumento de emancipação e erradicação das estruturas que oprimem.

Outras são as barreiras estruturais no efetivo processo de conceituação, disseminação e prática do empoderamento a grupos oprimidos: a do conhecimento, por exemplo, aqui entendido sob alguns aspectos. Um dos contextos é o projeto político de educação pública de base, historicamente sucateado em favor da mercantilização da educação, barreira importante para a formulação de consciência crítica. Lamentavelmente, ainda observamos uma indisposição institucional, midiática e política para a reflexão crítica. Em consequência, as teorias por aqui se perdem facilmente em meio a um emaranhado de superficialidades. Soma-se a isso o silenciamento compulsório das populações oprimidas, sobretudo da comunidade negra, o qual atravanca o potencial de discussões, uma vez que a abordagem de questões raciais tem sido alvo de rejeição e ridicularização, inclusive institucional. O silenciamento é uma prática recorrente das estruturas opressoras que operam neste país, o que, em longo prazo, impõe aos indivíduos que pertencem a esses grupos o que Kristie Dotson, professora associada de Filosofia da Universidade de Memphis, nos Estados Unidos, chama de *testimonial smothering* – sufocamento testemunhal, em português – , ou seja, "o alijamento da própria vivência para assegurar que o discurso contém apenas conteúdo para o qual o público demonstra interesse em assimilar" (DOTSON, 2011, p. 242, tradução minha).[13]

Dotson, uma feminista negra norte-americana, vem se dedicando ao estudo específico do silenciamento enquanto tecnologia de opressão, e, por consequência, identifica outros tipos de uso do silenciamento. Sobre esse silenciamento opressivo em especial, a partir do qual podemos também refletir a realidade brasileira, a pensadora afirma que ocorre porque o oprimido percebe de imediato que o grupo opressor não está disposto ou é incapaz de assimilar o que está sendo dito. Ou seja, com o tempo, em razão da repulsa em dialogar abertamente sobre as opressões que estruturam nossa sociedade, deixamos de falar sobre elas ou falamos apenas o que é permitido.

Em longo prazo, o silenciamento dos grupos oprimidos e o endurecimento do conveniente desinteresse dos grupos dominantes em discutir nossas matrizes opressoras geradoras das desigualdades deixaram um enorme atraso na produção de conhecimento, visto que há uma incompletude em quase tudo que se propõe a estudar sobre temas correlatos, e uma superficialidade generalizada que mutilou todas as forças que careciam do conhecimento profundo para se atualizar e instrumentalizar a sociedade no sentido de viabilizar práticas de erradicação dos nossos problemas históricos. Para esse quadro, Dotson tem outra expressão: *pernicious ignorance* – em português, ignorância prejudicial, de má-fé, perniciosa, que se constitui em violência epistêmica. Isto é, que atinge saberes e conhecimentos da população negra, uma vez que há uma deliberada ação para dificultar o acesso e negar a produção intelectual dos grupos historicamente oprimidos. Essa ignorância advém do fato de as classes dominantes perpetuarem a manutenção das desigualdades e lutarem de todas as formas contra a perda da hegemonia do discurso único.

Sobre silenciamento e ignorância prejudicial a grupos oprimidos, podemos também pensar a realidade das mulheres negras a partir da afirmação de Monique Evelle, uma ativista negra brasileira, durante uma palestra em 2015: "Nunca fui tímida, fui silenciada." Essa afirmação denuncia um sistema que funciona a partir da opressão pelo apagamento, o que também está na fala da feminista negra caribenha Audre Lorde: "O peso do silêncio vai acabar nos engasgando." Assim como Dotson, Lorde reflete que tal silêncio não é individual, mas um silenciamento institucional, uma conduta, uma ação, que provoca esse silenciar de grupos subalternizados.[14]

A diversidade da formação da população brasileira tem sido negligenciada em nossa sociedade em geral e mais especificamente nos meios acadêmicos e intelectuais. Aparecida Sueli Carneiro, em sua tese de doutorado *A construção do outro como não-ser com fundamento do ser* (2005), reforça a reflexão de Boaventura Sousa Santos ao definir o desprezo dos saberes produzidos pela intelectualidade negra como mais uma estratégia de genocídio de toda uma raça, autorizada pelos meios acadêmicos (CARNEIRO,

2005). Já Grada Kilomba reflete no capítulo "A Máscara" (2016a) sobre a tutela branca que define quem, quando e o que pode ser dito e afirma que quer

> [...] falar sobre a *máscara do silenciamento*. Tal máscara foi uma peça muito concreta, um instrumento real que se tornou parte do projeto colonial europeu por mais de trezentos anos. Ela era composta por um pedaço de metal colocado no interior da boca do sujeito Negro, instalado entre a língua e a mandíbula e fixado por detrás da cabeça por duas cordas, uma em torno do queixo e a outra em torno do nariz e da testa. Oficialmente, a máscara era usada pelos senhores *brancos* para evitar que africanos/as escravizados/as comessem cana-de-açúcar ou cacau enquanto trabalhavam nas plantações, mas sua principal função era implementar um senso de mudez e de medo, visto que a boca era um lugar tanto de mudez quanto de tortura. Neste sentido, a máscara representa o colonialismo como um todo. Ela simboliza políticas sádicas de conquista e dominação e seus regimes brutais de silenciamento dos(as) chamados(as) "Outros(as)": Quem pode falar? O que acontece quando falamos? E sobre o que podemos falar? (KILOMBA, 2016a, p. 171-172)

O reforço do protagonismo dos movimentos sociais, especialmente do feminismo negro, que se deu por uma disputa maior de narrativas desses movimentos com a expansão da internet, fez com que outros discursos e demandas tomassem o centro da discussão. Conceitos como "lugar de fala" e "representatividade" passaram a ganhar espaço e força, ao mesmo tempo que o contradiscurso, que almeja desestruturar essa evolução, passa a esvaziar e/ou tirar a legitimidade deles, pela distorção ou pela cooptação.

A população negra foi confinada, entre outras práticas, à desumanização de escravizados de ontem e de hoje – ainda que a escravização de hoje seja oculta e consequente de séculos de escravização de fato, já que a abolição completa da escravização de pessoas negras não foi processada de maneira correta pela sociedade e avançou pouco mais do que algumas mudanças de legislação, muito devido à negação de saberes, produção e potencial intelectual negra que foi, é e tem sido mais um caminho eficiente para mantê-la no lugar da subalternidade.

No caso de mulheres negras e seu peculiar posicionamento na encruzilhada das opressões que construíram nossa sociedade, para lembrar a interseccionalidade cunhada por Kimberlé Crenshaw, há uma invisibilidade que é consequência da articulação dos grupos subalternizados dentro da pirâmide social; afinal, sofre racismo o homem negro e sofre machismo a mulher branca. E onde fica a mulher negra? Não fica em lugar algum ou fica em um não lugar. Ou, como brilhantemente definiu Kilomba, ocupa o lugar "do outro do outro", ou ainda, nas considerações de Audre Lorde (1984), mulheres negras são as *sisters outsider* que, em tradução literal, significa "irmãs de fora".

Seguindo os princípios da interseccionalidade de Crenshaw (1994), o posicionamento de mulheres negras é um divisor de águas para toda a luta feminista, uma vez que levanta questionamentos acerca da homogeneidade do ser feminino universal, cunhado por mulheres brancas dentro do feminismo, e ressignifica todo o trabalho de empoderamento partindo desse *locus* social que, invariavelmente, abarca outros entendimentos que envolvem as opressões em outros níveis, inclusive determinando a diversidade e a complexidade que adquire à medida que se insere nas realidades adjacentes dos grupos minoritários. O pensamento de feministas negras abre dimensões importantes do trabalho de empoderamento, ao mesmo tempo que define a necessidade de interligação entre essas dimensões e que não se podem dissociar os processos individuais dos processos coletivos.

Como bem exemplifica um dos maiores expoentes do feminismo negro brasileiro, Sueli Carneiro, em "Enegrecendo o feminismo: a situação da mulher negra na América Latina a partir de uma perspectiva de gênero", um de seus artigos fundamentais para o entendimento do *locus* social do grupo de mulheres negras, diz que

> em geral, a unidade na luta das mulheres em nossas sociedades não depende apenas da nossa capacidade de superar as desigualdades geradas pela histórica hegemonia masculina,

> mas exige, também, a superação de ideologias complementares desse sistema de opressão, como é o caso do racismo. O racismo estabelece a inferioridade social dos segmentos negros da população em geral e das mulheres negras em particular, operando ademais como fator de divisão na luta das mulheres pelos privilégios que se instituem para as mulheres brancas. Nessa perspectiva, a luta das mulheres negras contra a opressão de gênero e de raça vem desenhando novos contornos para a ação política feminista e antirracista, enriquecendo tanto a discussão da questão racial como a questão de gênero na sociedade brasileira. (CARNEIRO, 2011, on-line)

Se o feminismo negro luta pela erradicação do racismo como estruturante social, ele se funde ao movimento negro. Se o feminismo negro aponta as opressões atreladas ao gênero, ele se aglutina a linha de frente do Feminismo dito universal. Então, temos a necessidade de explicitar todas as contribuições do feminismo negro, proposições e apontamentos para que em um só tempo tenhamos um entendimento profundo dos caminhos da História, bem como dos princípios norteadores de novas ações e posturas que visam à equidade como potencial eliminador das opressões.

Sob esse aspecto, o artigo de Carneiro (2011) prossegue consolidando essa necessidade de assimilação do pensamento de mulheres negras para a evolução das discussões acerca das nossas fissuras sociais, que, já devidamente identificadas e aprofundadas, estão assentadas de maneira definitiva em todas as ações promovidas, tendo como norte o empoderamento, seja individual ou coletivo, assim como

> a importância dessas questões para as populações consideradas descartáveis, como são os negros, e o crescente interesse dos organismos internacionais pelo controle do crescimento dessas populações levaram o movimento de mulheres negras a desenvolver uma perspectiva internacionalista de luta. Essa visão internacionalista está promovendo a diversificação das temáticas, com o desenvolvimento de novos acordos e associações e a ampliação da cooperação interétnica. Cresce entre as mulheres negras a consciência de que o processo de globalização, determinado pela ordem neoliberal que, entre outras coisas, acentua o processo de feminização da pobreza, coloca a necessidade de articulação e intervenção da sociedade civil a nível mundial. Essa nova consciência tem nos levado ao desenvolvimento de ações regionais no âmbito da América Latina, do Caribe, e com as mulheres negras dos países do primeiro mundo, além da participação crescente nos fóruns internacionais, nos quais governos e sociedade civil se defrontam e definem a inserção dos povos terceiro-mundistas no terceiro milênio. (CARNEIRO, 2011, on-line)

Não é possível formar um pensamento crítico completo, em qualquer área do conhecimento, negando os apagamentos e as exclusões fomentadas ao longo da História, como fazem, por exemplo, quase todos os teóricos do urbanismo, que ignoram as opressões como válvula motriz das desigualdades que eles, assertivamente, já assumiram que existem, criando uma modalidade chamada de *colorblind urbanism* por Melissa M. Valle, em português, "urbanismo daltônico".

Cito o Urbanismo porque é o meu campo de estudo e formação, mas certamente poderia citar todas as outras áreas possíveis e imagináveis do conhecimento dito universal.

Nesse sentido, é urgente falar sobre as temáticas do pensamento do feminismo negro, não como supérflua manifestação identitária, mas como importante contribuição para a reestruturação social a partir das necessidades de grupos minoritários, tendo em vista o *locus* social e as experiências que dele emergem. Como bem pontua Djamila Ribeiro, no livro *O que é lugar de fala?* (2017), vai muito além da função, enquanto instrumento de luta pelo direito de existir, o preenchimento da lacuna que os cânones do pensamento universal deixaram. Seguindo o raciocínio, o empoderamento é a continuidade do processo que garantirá que essa existência pleiteada pelo lugar de fala se desenvolva de maneira plena e eficiente nas ações para a emancipação possível de mulheres negras e de outros sujeitos sociais oprimidos. Cabe lembrar a poderosa fala de Angela Davis, quando afirma que a emancipação de mulheres negras representa que toda uma sociedade estará de fato se movimentando rumo à evolução e à erradicação dos nossos mais agudos problemas.

Não por acaso, toda luta social que toca em acúmulos e excedentes de privilégios, provocando uma tensão estrutural na sociedade, pelo incômodo premeditado de indivíduos que estão em uma posição de conforto social, tende seguramente a ser alvo de estratégias de autoproteção desses grupos, que acabam por criar estratégias quase instintivas de defesa aguerrida de seus interesses. É o movimento reativo que ao menor sinal de perigo sai em defesa daquilo que acredita ser seu por direito, desconsiderando que acúmulos e excedentes são construídos à custa da escassez e da exploração de outros. Daí surge a distorção do sentido real das ferramentas, de estratégias sociais e políticas empregadas pelos grupos que buscam primordialmente o direito à existência plena e a justa distribuição das benesses sociais. O empoderamento, assim como o lugar de fala, coloca-se em uma posição estratégica de descortinador da bipolaridade social, que anseia pela igualdade em um sintoma confuso de crise ética, mas, ao mesmo tempo, não se mostra disposta a olhar para seus acúmulos e questioná-los no sentido de promover um recuo em nome de uma transformação social completa e possível.

EMPODERAMENTO: PERSPECTIVA ECONÔMICA E DE POLÍTICAS PÚBLICAS

Importante destacar a abordagem do empoderamento pela perspectiva econômica como prática de fortalecimento de comunidades, além de como o conceito foi utilizado no campo de políticas públicas e por organizações não governamentais, no sentido de supostamente criar estratégias de desenvolvimento voltadas para a superação da pobreza. Jorge Romano e Marta Antunes, no livro *Empoderamento e direitos no combate à pobreza* (2002), afirmam, na introdução, que a noção de empoderamento passou a ser utilizada por movimentos sociais, e posteriormente foi incorporada como prática das ONGs na década de 1970. Porém, alertam que o conceito e a abordagem "foram gradualmente apropriados pelas agências de cooperação e organizações financeiras multilaterais (como o Banco Mundial)" (2002, p. 5). Segundo os autores, essa apropriação cria um processo de despolitização/homogeneização e, por conta disso, o termo começou a ser disputado no campo ideológico de desenvolvimento.

> Por sua vez, nos últimos anos, percebe-se que um número crescente de instituições da Sociedade Civil introduz em sua estratégia a abordagem baseada em direitos, a qual tem sua origem na luta pelo reconhecimento e promoção do conjunto de direitos humanos (civis, políticos, econômicos, culturais etc.). As próprias agências de cooperação e organizações financeiras multilaterais vêm progressivamente adotando esta nova conceitualização na formulação de suas políticas e estratégias. Dessa forma, a noção de direitos e a abordagem baseada em direitos passam também a ser motivo de debate e disputa no campo de desenvolvimento, tal como ocorre no caso de empoderamento. (ROMANDO; ANTUNES, 2002, p. 5)

Romano, intelectual argentino e professor na Universidade Federal Rural do Rio de Janeiro, no primeiro capítulo do livro supracitado, chama a atenção para o fato de o conceito de empoderamento ter sido cooptado pelo discurso dominante do *mainstream* de agências internacionais, como o Banco Mundial, para servir como um instrumento de manutenção das práticas assistencialistas, de modo a continuar exercendo o controle social sobre grupos oprimidos e não incentivar a transformação destes. Essa dominação estaria atendendo a uma lógica neoliberal, que não visa ao fortalecimento comunitário, fazendo a manutenção do confinamento aos lugares sociais específicos. Para o autor, trata-se de reformismo, e não de mudança fundamental. O objetivo, portanto, seria criar uma prática meramente assistencialista, uma prática de dependência. Mais uma vez, então, vemos uma teoria ser concebida com propósito revolucionário e transformador para ser desvirtuada a atender a algum interesse de grupos dominantes.

Assim, o empoderamento invocado por bancos e agências de desenvolvimento multilaterais e bilaterais, diversos governos e ONGs, com muita frequência vem sendo usado como um instrumento de legitimação para que se continue perpetuando uma ordem. Agora com um novo nome. Ou para controlar, dentro dos marcos por eles estabelecidos, o potencial de mudanças impresso originalmente nessas categorias e propostas inovadoras. É uma situação típica de transformismo (gatopardismo): apropriar-se e desvirtuar o novo, para garantir a continuidade das práticas dominantes. Traduzindo aos novos tempos: mudar "tudo" para não mudar nada (ROMANO; ANTUNES, 2002, p. 10).

Seguindo na crítica, Romano questiona como poderia haver empoderamento sem alteração nas dinâmicas das relações de poder. Outro ponto fundamental é como o processo de empoderamento pode ser neutro, desconsiderando por completo suas dimensões ideológicas e políticas com o propósito de domesticar grupos oprimidos.

> Busca-se reduzir os efeitos do empoderamento, no melhor dos casos, aos de uma progressão aritmética e não potencializar suas possibilidades enquanto desencadeador de progressões geométricas. Com essa pasteurização do empoderamento, tem-se procurado eliminar seu caráter de fermento social. (ROMANO; ANTUNES, 2002, p. 11)

Assim, notamos que empoderamento é um processo, e não um fim em si mesmo. O que o autor está dizendo é que se valer de um uso reformista e paternalista significa retirar a potência necessária para alterar o estado atual das coisas, mantendo-as como estão, sem alterar a distribuição do poder, de modo que fique concentrado onde sempre ficou. Esse tipo de visão pasteurizada busca neutralizar o potencial revolucionário. Vale dizer que não é possível alterar as relações de poder sem necessários conflitos e questionamentos, uma vez que pensar o empoderamento é pensar práticas e discursos políticos contestatórios. Dessa forma,

> a abordagem de empoderamento não pode ser neutral, nem ter aversão a conflitos e a seus desdobramentos. O desdobramento dos conflitos significa que o processo de mudança, uma vez deslanchado, permeia e se infiltra em outras dimensões vividas pelas pessoas e grupos

> sociais. O empoderamento implica contágio, não assepsia. É fermento social: está mais para inovação criativa que para evolução controlada. (ROMANO; ANTUNES, 2002, p. 11).

Romano (2002) parte de Gita Sen, intelectual indiana, professora universitária em Bangalore e referência internacional no estudo sobre o tema, para afirmar que o empoderamento não pode ser considerado "uma dádiva" ou algo que pode ser feito a alguém por outra pessoa. Segundo a professora, governos, agências e ONGs não empoderam as pessoas e as organizações. O que as políticas de ações governamentais podem fazer é criar um ambiente favorável ou, opostamente, embarreirar o processo de empoderamento. Além disso, Romano (2002) se mostra preocupado com o fato de o empoderamento ser algo "tecnicizado", pensado em sala de aula, em vez de surgir de trocas de experiências coletivas e conjuntas de enfrentamento aos variados sistemas de dominação: "isto é, se supervalorizaram os efeitos políticos da ação pedagógica em detrimento dos efeitos pedagógicas da ação política" (ROMANO; ANTUNES, 2002, p. 12). Suas reflexões remetem à noção freiriana de empoderamento, de uma consciência crítica entrelaçada com a prática transformadora. No entanto, o autor alerta para o risco de se "superpolitizar" a noção de empoderamento, no sentido específico de alguns movimentos e organizações se sentirem os mensageiros quase que exclusivos da "cartilha" empoderadora, julgando-se como únicas réguas a se medir empoderamento e afastando, muitas vezes, pessoas para quem a teoria mais seria potente.

Agentes de mudanças externas podem ser catalisadores essenciais, mas a dinâmica do processo de empoderamento é definida pela extensão e pela rapidez com que as pessoas mudam a si mesmas. Isso significa que, se os governos capacitam as pessoas, elas se fortalecem e, dessa forma, os governos não as empoderam: as próprias pessoas empoderam-se. Assim, o que as políticas governamentais e ações podem fazer é criar um ambiente favorável ou agir como uma barreira ao processo de empoderamento (SEN, 1997).

Dito isso, com destaque para as críticas ao esvaziamento do significado do sentido original de empoderamento pela perspectiva econômica para mulheres negras, bem como para outros grupos vitimados pelo sistema de dominação, avaliaremos alguns casos importantes para a presente discussão, como a aderência expressiva ao afroempreendedorismo, também conhecido como movimento *black money*, que consiste basicamente em criar estratégias para que a circulação de dinheiro e o consumo se concentrem dentro da comunidade negra, concebendo uma reversão estratégica do significado de poder, sobretudo se for pautada pelo fortalecimento de toda a comunidade/população negra, pela preferência radical de produções feitas por e para pessoas negras, desde o planejamento do produto até a propaganda, em um movimento inverso ao que o racismo faz, ao excluir a existência negra enquanto consumidora. E essa dimensão econômica tem um histórico muito mais profundo do que parece num primeiro momento. Cabe um parêntese para dizer que pessoas negras historicamente empreendem por necessidade, posto que o racismo estrutural impede a colocação em empregos formais. Por conta disso, e com o avanço de um discurso neoliberal e de precarização do trabalho, é fundamental estar atento ao discurso "fácil" do empreendedorismo, que visa, muitas vezes, precarizar ainda mais a situação dos trabalhadores, sobretudo para negros e negras.

É evidente que perpassa o processo de empoderamento o fortalecimento social que o dinheiro/capital proporciona. É uma estratégia de dominação e aniquilamento de mobilidade social manter grupos explorados longe dos confortos e das benesses que o capitalismo proporciona – e isso tem sido feito há séculos. Os escravizados nunca tiveram possibilidade de acúmulo significativo de capital; quando muito, alguns poucos puderam comprar suas alforrias. No entanto, diante da possibilidade jurídica da compra da liberdade, era essencial que se garantisse que as riquezas jamais chegassem às mãos daqueles que a produziam, sob pena de perder o foco de construção das riquezas, que era a exploração de mão de obra. Após a abolição, marcadamente no processo de industrialização, em que houve o incentivo à vinda de europeus que assumiram os postos de trabalho, essa lógica não foi eliminada; ao contrário, ganhou novos contornos, sendo possível manter a exploração de mão de obra da negritude, só que agora com uma boa máscara social que a um só tempo ia de encontro com os novos arcabouços jurídicos que proibiam a escravização, mas não rompiam com o esquema usado durante todo o período colonial: havia um "salário" ou um "pagamento" pelos serviços prestados. Esse pagamento, bem sabemos, embora a história não enfatize, era somente para garantir alguma alimentação e/ou local para dormir.

Esse movimento perverso seguiu até os dias de hoje, em que as sutis alterações não foram suficientes para formar uma população negra economicamente passível de sobrevivência e existência digna e, menos ainda, que possa consubstanciar a formação de uma classe média negra. As minorias sociais são prioritariamente pobres e é isso que garante que as possibilidades de se moverem para outra posição na pirâmide social sejam escassas; para alguns, impossíveis. Olhando desse ponto, fica muito óbvio que grupos sociais minoritários precisam do fortalecimento econômico. Vale dizer que há uma tradição de estudo de empoderamento pela perspectiva econômica por organizações internacionais como a ONU/UNESCO, além de pesquisa em países do sul da Ásia, em especial quando se discutem microcréditos para populações pobres de países com baixo Índice de Desenvolvimento Humano (IDH) e/ou com grandes desigualdades. Em 2006, por exemplo, o Prêmio Nobel da Paz foi laureado a Muhammad Yunus. Natural de Bangladesh, criou o conceito de microcrédito e é conhecido como o banqueiro dos pobres. Yunus fundou o Banco Grameen, que emprestava microcréditos a juros baixos a mulheres, sem que elas precisassem apresentar garantias. Valem destacar, contudo, críticas ao sistema de microcrédito por gerar insuportável pressão social para pagamento em instituições que cobram taxas de juros extorsivas, além de um acúmulo de dívidas, conforme mostram alguns estudos.

No Brasil, agora pela perspectiva da gestão pública, são vários os estudos nacionais e internacionais que apontam o Programa Bolsa-Família, implementado pelo Governo Lula, como um exemplo de programa destinado às mulheres, que permitiu que elas conseguissem o mínimo de autonomia ao serem responsáveis pela retirada da renda, alterando a dinâmica de relações de poderes de diversas famílias. A antropóloga Walquíria Domingues Leão Rêgo, professora titular na Universidade Estadual de Campinas, e o filósofo italiano Alessandro Pinzani, professor da Universidade Federal de Santa Catarina, analisaram, durante cinco anos, mulheres destinatárias do programa no interior do Piauí, no litoral de Alagoas, no Vale do Jequitinhonha, no interior do Maranhão e na periferia de São Luís em um importante exercício de ouvir sobre a transformação da realidade a partir das próprias mulheres por meio de entrevistas, em vez de análises distantes e questionários rígidos. Os pesquisadores relataram que aumentou o número de mulheres que procuram métodos anticoncepcionais; que elas passaram a se sentir fortalecidas para enfrentar o assédio dos maridos; e que aumentou o número de mulheres que pediram o divórcio. (SANCHES, 2012 [2015])[15]

Outro importante exemplo a ser apontado é o Programa Renda Básica de Cidadania, de autoria de Eduardo Suplicy, professor da Fundação Getúlio Vargas, ex-senador e atual vereador da cidade de São Paulo. O programa visava a uma forma de distribuição de renda no país, mas, lamentavelmente, apesar de ter sido sancionado como lei federal em 2004 pelo presidente Lula, nunca foi regulamentado. Por esse sistema, cada cidadão ou cidadã receberia uma quantia fixa por mês determinada pelo Estado, fosse trabalhador(a) ou não. Vale dizer que uma política parecida foi implementada na Finlândia e na Holanda em 2017. Assim como aconteceu com o Bolsa-Família, o programa pensava sob a perspectiva da mulher. Em seu livro *Renda de cidadania: a saída é pela porta*, Suplicy (2013) destaca que os direitos das mulheres não estão restritos somente à emancipação no que diz respeito a seus direitos legais, econômicos e/ou políticos, mas também englobam o direito à libertação pessoal. Apesar de o Programa Renda Básica de Cidadania não ter sido implementado, o autor acredita que o Bolsa-Família é um dos meios para alcançar tal objetivo.

> A mulher tem o direito de participar da riqueza da nação, que ela mesma ajudou a construir. Tem direito a um patrimônio correspondente a seu esforço na construção de nossa sociedade, direito à isonomia profissional com os homens, a uma vida digna e a uma renda capaz de lhe prover suas necessidades. Tem direito não apenas a sua emancipação referente a seus direitos legais, econômicos ou políticos, e à sua libertação pessoal, mas também a viver num país com desenvolvimento saudável e duradouro. (SUPLICY, 2013, p. 164)

Entretanto, é preciso ressaltar, como já dito, que esse fortalecimento pode ajudar no processo de empoderamento, mas não é ele sozinho que garante que esses grupos estejam longe das agruras de se viver em um sistema racista, patriarcal, fóbico etc. Quando esse fortalecimento econômico cai na pior armadilha, ao deixar de manter o movimento de fortalecimento de toda a comunidade, cai também na devolução sumária do capital duramente acumulado para as mãos do grupo opressor.

É importante ressaltar que no sistema capitalista as pessoas negras não são as donas dos meios de produção, e sim as que mais sentem o peso das desigualdades. Esse entendimento político é fundamental.

Por fim, cabe lembrar que, tendo em vista as premissas de interseccionalidade, desvenda-se a encruzilhada das opressões na compreensão do lugar estratégico em que se situam mulheres negras e funcionando como limítrofe da possibilidade de desenvolvimento social para esse grupo minoritário em especial, faz muito sentido trabalhar o conceito de maneira ampla, porém, sempre incitando a aplicabilidade dele em nossas vidas. O feminismo negro e suas pensadoras têm se debruçado em diversas reflexões a respeito do conceito propriamente dito, bem como de suas ramificações, tendo em vista que nenhum outro grupo necessita tanto desses processos e de sua aplicabilidade quanto as mulheres negras.

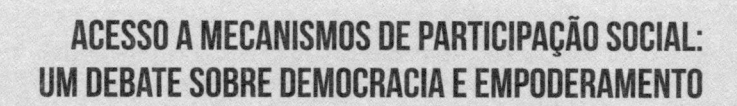

ACESSO A MECANISMOS DE PARTICIPAÇÃO SOCIAL: UM DEBATE SOBRE DEMOCRACIA E EMPODERAMENTO

Já que estamos falando sobre gestão pública, parece-nos uma boa hora para também discutirmos rapidamente mecanismos de participação popular na rotina democrática, uma vez que a Teoria do Empoderamento significa que esses grupos oprimidos poderão ter acesso às decisões da vida pública, para além do voto a cada quatro anos, em conselhos de bairros, plebiscitos, consultas prévias, entre outros diversos mecanismos de participação que abrem a via para tantos diálogos e demandas sufocadas. Maria da Glória Gohn, professora titular da Universidade Estadual de Campinas, no artigo "Empoderamento e participação da comunidade em políticas sociais", explica:

> A importância da participação da sociedade civil se faz neste contexto não apenas para ocupar espaços antes dominados por representantes de interesses econômicos, encravados no Estado e seus aparelhos. A importância se faz para democratizar a gestão da coisa pública, para inverter as prioridades das administrações no sentido de políticas que atendam não apenas as questões emergências, a partir do espólio de recursos miseráveis destinados às áreas sociais. (GOHN, 2004, p. 25)

Isso significa dizer que falar em empoderamento de um grupo social é necessariamente falar sobre democracia e expansão da sua atual restrita aplicação. Empoderamento, na vida política pública, também é efetivado pelo exercício dos direitos políticos, entre os quais a participação como cidadão e cidadã na discussão pública é a principal ferramenta. Por sua vez, quando falamos de grupos oprimidos, cujas vozes muitas vezes são silenciadas, conforme vimos anteriormente, o acesso a espaços de decisão em sociedade é uma entre tantas estratégias de resistência.

Ocorre que no Brasil são poucos os incentivos para a população participar da democracia em curso. Marcello Baquero, professor titular de Sociologia na Universidade Federal do Rio Grande do Sul, em seu artigo "Construindo uma outra sociedade: o capital social na estruturação de uma cultura política participativa no Brasil" (2003), problematiza a falta de estímulo para a participação social como um duro obstáculo colocado pelas estruturas que mantêm sistemas de opressão:

> Como estimular e motivar os cidadãos a participar politicamente em um contexto de fragmentação e crescente desigualdade social? Como criar e/ou reconstituir um ambiente estimulante para a participação política? Tais desafios são gigantescos, pois o Estado, ao longo de sua história, tem perdido a credibilidade em convocar seus cidadãos para enfrentar essa tarefa. Tornou-se imperativo, portanto, refletir sobre mecanismos que proporcionem o retorno do cidadão à esfera política. (BAQUERO, 2003, p. 83)

No Brasil, diversos movimentos sociais foram derrotados quando da instituição da Política Nacional de Participação Social (Decreto nº 8.423/2014), que regulamentava a criação de mecanismos de participação da população nas decisões da vida pública, como conselho, comissões, ouvidorias, entre outros. O texto estabelecia objetivos e diretrizes para que a sociedade civil compartilhasse decisões, pois órgãos da administração pública federal teriam de considerar esses conselhos e ouvi-los na hora de formular, avaliar e monitorar suas políticas e programas. Um dos méritos do plano era abranger o conceito de sociedade civil para contemplar "[...] os movimentos sociais institucionalizados ou não institucionalizados, suas redes e suas organizações" (BRASIL, 2014). Contudo, a Câmara aprovou o projeto contrário exatamente no sentido de derrubar a política de participação. Vale enfatizar que as pesquisas e a luta pela ampliação da participação social continuam.[16]

Entretanto, apesar de a Política Nacional de Participação Social ter sido rechaçada, em algumas cidades o debate já é uma realidade. Como exemplo, temos a luta pela participação social na cidade de São Paulo, maior megalópole da América Latina. O tema ganhou mais projeção após o Projeto de Lei nº 393/2016 ter sido desenvolvido na Secretaria de Direitos Humanos da gestão do ex-prefeito Fernando Haddad, em especial na Coordenadoria de Participação Social, à época encabeçada por Maria José Scardua e seu adjunto José Luiz Lima *(in memoriam)*, carinhosamente chamado de Zé Luiz e conhecido por sua mobilização e participação popular, um dos grandes responsáveis pelo avanço da pauta na cidade. O projeto de lei é um exemplo de consulta à população, foram oito consultas virtuais, 14 reuniões por região e diversas audiências públicas, contando ainda com representantes de todas as secretarias, entre outras integrações. Além disso, no decreto para elaboração de conselhos que discutiriam a questão, foi instituída a paridade de gênero, bem como cadeiras para migrantes e imigrantes. Atualmente, o projeto está em trâmite na Câmara dos Vereadores sob relatoria do vereador Eduardo Suplicy, sendo, sem sombra de dúvida, um projeto que poderia ser adaptado para atender os demais municípios do país.[17]

Em entrevista por telefone, em março de 2018, Maria José Scardua, que foi presidente do Conselho da Mulher do Estado do Espírito Santo, é mestre em Psicologia pela Universidade Federal do Espírito Santo e assessora parlamentar, confere-nos uma importante reflexão para o debate sobre empoderamento, participação social e ampliação do alcance e do sentido de democracia:

> Não há que se pensar em participação popular numa cidade de 12 milhões de habitantes se ela não for descentralizada. A ideia da participação popular e direta é o processo de construção da democracia e também um processo longo de desconstrução do ódio contra política, um processo cultural de conscientização e empoderamento, de pertencimento das pessoas e grupos que se propõem a deliberar política pública. A gente ainda não conseguiu agregar essa cultura na sociedade porque temos um processo muito vil de dominação ideológica das mídias, uma demonização da política, como também por conta do próprio processo de formação educacional. Mas é muito importante que as pessoas entendam que é difícil participar socialmente, pois as pessoas têm o direito de chegarem cruas e, com o tempo, constituírem-se, empoderarem-se. Fazer participação social é extremamente substancial,

> traz muitas histórias de vida e é um processo
> longo e demorado de formação, conscientização, escuta; é a contramão do mundo que
> tem a urgência de tudo, a urgência do lucro.
> Trata-se de pensar não um projeto de governo, mas um projeto de sociedade. (SCARDUA, 2018)

Ainda pela via interseccional, há uma importante discussão a ser feita sobre empoderamento de grupos e o cenário da participação social. Pedro Pulzatto Peruzzo, professor de Direito Constitucional da Pontifícia Universidade Católica de Campinas, em sua tese de doutorado pela Faculdade de Direito da Universidade de São Paulo, defende que o Brasil assinou tratados suficientes, como a Convenção 169 da Organização Internacional do Trabalho[18], promulgada no país, para que seja regulamentada a consulta prévia à população indígena para leis e programas que a atinja:

> [...] a ser aplicado como requisito imprescindível para todas as medidas administrativas e legislativas suscetíveis de afetar os povos indígenas no Brasil, em sintonia com o que tem sido construído no sistema Interamericano de Direitos Humanos e em outros países americanos. (PERUZZO, 2017, p. 2.736)

Quando sustentamos aqui a consulta prévia como uma forma de enraizamento da democracia participativa, estamos dialogando com essa proposta de uma cidadania de baixo para cima. Em outros termos, o que entendemos por democracia participativa não significa a anulação das funções do Congresso Nacional ou dos gestores públicos, mas o fortalecimento de processos em que grupos minoritários tenham a oportunidade de apresentar seus pontos de vista e, se for o caso, de dizerem "não" às propostas de leis e às políticas públicas de cima para baixo e que, por isso mesmo, repetem a lógica colonial e violam direitos humanos reconhecidos na Constituição, nos tratados e convenções internacionais e na legislação infraconstitucional (PERUZZO, 2017, p. 2.720).

No mesmo sentido, a falta de regulamentação de consulta pública às comunidades quilombolas é apontada como um dos obstáculos enfrentados pelo Programa Brasil Quilombola, implementado pela Secretaria Nacional de Políticas de Promoção da Igualdade Racial, de 2004, cujo objetivo é consolidar os marcos da política de Estado para áreas quilombolas, conforme aponta a pesquisa de mestrado da intelectual negra Allyne Andrade e Silva (2015), na Faculdade de Direito da Universidade de São Paulo.[19] Entretanto, é necessário destacar que os mecanismos de participação social são apenas uma entre tantas ferramentas necessárias para o empoderamento da população, não sendo, portanto, um fim em si mesmo, conforme Gohn alerta:

Cumpre destacar, entretanto, que a participação da sociedade civil não pode, nunca, se resumir à participação nos espaços dos conselhos ou outros criados na esfera pública. Até para que essa participação seja qualificada [...] ela deverá advir de estruturas participativas organizadas autonomamente na sociedade civil. O chamado trabalho de base é fundamental para alimentar e fortalecer a representação coletiva nos colegiados da esfera pública. Essa esfera pública não pode ser vista como um degrau superior, que surgiu para eliminar ou superar formas e níveis de mobilização e organização que existiram na sociedade brasileira nos anos 1970/80, pois esta é uma visão etapista, linear e evolutiva. (GOHN, 2004, p. 12)

RESSIGINIFICAÇÃO PELO FEMINISMO NEGRO

Compreender o legado de teóricas e pensadoras negras e seu entendimento e assimilação do conceito é essencial para aprofundarmos ainda mais essa noção, que foi assimilada por mulheres negras antes mesmo de a teoria ser acessível a elas. Estratégias de enfrentamento ao sistema racista e redes de solidariedade política fazem parte do legado de luta dessas mulheres. A intelectual e feminista negra Lélia Gonzalez afirmava que, como mulheres negras, não compartilhamos somente história de opressão; é preciso conhecer os caminhos de luta percorridos nessas opressões. Em outras palavras, não perder a perspectiva histórica de resistência e possibilidades de reexistir a partir da autodefinição. A socióloga Patricia Hill Collins em seu livro, *Pensamento feminista negro* (2019), alerta para o fato de que o feminismo negro não é uma complementação ou adição ao feminismo dito universal, e sim parte de uma perspectiva de se pensar projetos e abordagens que deem conta das opressões estruturais, a partir de formulações políticas de mulheres negras. Para a pensadora, a autodefinição das mulheres negras é uma estratégia importante para combater a "invenção da mulher negra" pela ótica colonizadora. Collins (2019) entende o lugar da mulher negra, mais que marginalizado, como um lugar de potência. O feminismo negro, nesse sentido, visa trazer estratégias de superação das opressões estruturais, como ampliar o conceito de humanidade. Nesse sentido, Juliana Borges, no artigo "A urgência do pensamento feminista negro para a democracia", afirma que,

> em visita recente visita ao Brasil, a socióloga afro-americana Patricia Hill Collins delineou algumas das questões centrais dele. Em primeiro lugar, uma das premissas fundamentais é de que o pensamento feminista negro não é um aditivo de outros feminismos, mas uma formulação própria feita a partir das necessidades, conhecimentos e formas de atuação política próprias das mulheres negras. Em segundo lugar, o senso de humanidade indissociável da luta feminista negra, a defesa de si conectada à defesa do outro, tendo em vista o processo de desumanização que corpos negros passaram, seja das populações negras em

> diáspora, seja da constante desumanização das populações negras em África. Ressaltou também a interseccionalidade, que evoca a heterogeneidade, e sublinhou a disputa pelo poder, e não de identidades, como centro deste pensamento, tendo na luta anticapitalista sua forma, já que o capitalismo é um sistema indissociável das desigualdades e da dominação do outro visando o lucro e acúmulo e concentração de riquezas. Por fim, a descolonização dos corpos, mentes e espíritos negros, seja na noção metafórica, seja na noção literal e de entendimento de defesa da liberdade. (BORGES, 2017, on-line)

Para hooks, uma nova moldura conceitual é fundamental para que esses grupos possam sair da ideia de vitimização para a de responsabilidade por se enfrentar as estruturas opressoras. Obviamente que a autora reconhece que grupos são vitimizados quando oprimidos, no sentido estrutural, mas chama a atenção para o fato de reivindicar a identidade vitimada como ferramenta de luta, em vez de se pensar mecanismos de enfrentamento às opressões, fixando esses grupos num lugar inerte que não promove a descolonização política. Seria pensar, como a intelectual afirma em "Movimentar-se além da dor" (2016)[20], como não podemos apenas levar em conta uma "medida de nossa capacidade de aguentar a dor, mas sim uma celebração de nosso movimento além da dor" (HOOKS, 2016, on-line).

Em *Killing Rage, Ending Racism* (1996), bell hooks fala da importância dessas estratégias, pensando a necessidade de contrapor a identidade vitimada ao que chama de resistência militante.

> Vinda de comunidades feministas no sul segregacionista, eu nunca tinha escutado das mulheres negras sua vitimização. enfrentando a dureza, a destruição causada por falta e privação econômica, a injustiça cruel do apartheid racial, eu vivia em um mundo em que as mulheres ganhavam força no compartilhamento de saber e recursos, e não porque se juntavam na base de serem vítimas. A despeito da incrível dor de viver no apartheid racial, as pessoas negras sulistas não falavam sobre nós mesmas como vítimas, mesmo quando nós éramos humilhadas. Nós nos identificávamos mais pela experiência da resistência e triunfo do que pela natureza de nossa vitimização. Era um fato que a vida era dura, que havia sofrimento. era pelo enfrentamento desse sofrimento com graça e dignidade que uma pessoa experienciava transformação. Durante a luta pelos direitos civis, quando nos demos as mãos para cantar "nós vamos superar", nós estávamos empoderadas e empoderados por uma visão de preenchimento, de vitória. (HOOKS, 1996, p. 1, tradução minha)[21]

A intelectual estadunidense pensa em formas coletivas de superação, ou seja, em empoderamento da comunidade negra para superação das barreiras colocadas pelo racismo e pelo sexismo; mostra a importância de se pensar ações de conscientização da realidade em que esse grupo se encontra, de desvelamento das desigualdades para que esse grupo empodere a si mesmo para enfrentamento e transcendência. O exemplo que dá sobre as estratégias de solidariedade política da comunidade em que nasceu mostra quanto mulheres negras, historicamente, vêm pensando em empoderamento, porque, como bem observa a filósofa estadunidense Angela Davis, o conceito de empoderamento nunca foi novidade para esse grupo:

> O conceito de Empoderamento não é novo para mulheres afro-americanas. Por quase um século, temos nos organizado em grupos voltados a desenvolver coletivamente as estratégias que iluminem o caminho rumo ao poder econômico e político para nós mesmas e para nossa comunidade. Ao longo da última década do século XIX, após serem repetidamente rechaçadas pelo racialmente homogêneo movimento pelos direitos das mulheres, as mulheres negras formaram seu próprio movimento associativo. (DAVIS, 2016, p. 15)

Dentro da perspectiva de um pensamento decolonial, Srilatha Batliwala afirma que a característica mais conspícua do termo "empoderamento" está na palavra "poder", definido por ela como "controle sobre recursos materiais, intelectuais e ideologia"

(BATLIWALA, 1994, p. 129). Segundo ela, o poder decisório emana do controle sobre esses recursos, que têm estado, em grande parte, sob o domínio masculino. Contudo, nós, mulheres, principalmente mulheres negras, não fomos nunca totalmente desempoderadas. Tentamos, de uma maneira ou de outra, "expandir nosso espaço", mesmo quando as ideologias patriarcais conseguiram minar essas tentativas.

Se nos Estados Unidos a experiência intelectual de mulheres negras estava pautada pelo desenvolvimento dessas mulheres e de sua comunidade, no Brasil e em vários lugares da América Latina também havia processos de empoderamento em curso:

> Estudos a respeito das experiências das mulheres escravas nas Américas têm apontado para o grau de resistência delas no interior das plantações. Não cooperadoras no trabalho diário tinham que ser castigadas severamente. Nas áreas rurais "onde a maior parte estava empregada nas plantações" era por meio da linguagem e da música que educavam seus filhos, reinventando sentidos culturais. Nas áreas urbanas, ocuparam importantes espaços, fazendo deles territórios dos mercados de trabalho, dos seus próprios corpos, desejos e identidades de gênero envolventes. (GOMES; PAIXÃO, 2008, p. 951)

Para citar um exemplo mais conhecido, podemos falar de Tia Ciata e sua atuação fundamental dentro de sua comunidade, acolhendo e criando meios de proteção e fortalecimento, além de transformar o espaço que ficou conhecido como "Pequena África", no Rio de Janeiro, em um local de resistência cultural e exaltação religiosa. Podemos também citar da Irmandade de Nossa Senhora da Boa Morte, do importante papel social que terreiros cumpriram no Brasil e das estratégias encontradas para a manutenção das religiões afro-brasileiras.

Exatamente por essa constatação, a da execução prática do conceito de empoderamento que já vinha sendo aplicado historicamente por mulheres negras, não podemos somente referenciar os que foram considerados precursores da historiografia tradicional, sob pena de cair no engodo da falaciosa limitação acadêmica que preserva seus cânones e impõe uma epistemologia dominante que ignora as produções de povos considerados implícitos dentro da normatização hegemônica. E, convenhamos, essa seria justamente a contradição que Paulo Freire pretendia evitar, isto é, a retomada da exclusão com a hierarquização revisitada, tendo como base o discurso e o conhecimento concentrado como poder que é capaz de manipular pela propagação da história única (ADICHIE, 2009, on-line).

Além dessa importante abordagem levantada por Davis, é necessário voltar e retomar a intelectual negra bell hooks e suas reflexões como educadora, leitora e admiradora de Paulo Freire, que baseia suas obras na reflexão do que podemos chamar de uma pedagogia interseccional. A estudiosa estadunidense amplia a visão para incluir as intersecções de raça, gênero e sexualidade ao pensar as condições do oprimido na sociedade.

Em *Ensinando a transgredir: a educação como prática da liberdade* (2013), publicado pela primeira vez em 1994, bell hooks pensa uma pedagogia insurgente com o objetivo de ensinar os estudantes a transgredir as fronteiras impostas pelo racismo, pelo sexismo e pela opressão de classe. Na introdução da obra, hooks conta como era o ambiente escolar da instituição de ensino que frequentava à época do apartheid, um lugar político e de resistência antirracista que a fez perceber a importância do conhecimento como prática contra-hegemônica para resistir às estratégias de colonização. No primeiro capítulo, "Pedagogia engajada", hooks explana como a obra de Paulo Freire a fez perceber os limites do processo pedagógico com o qual foi ensinada a entender a necessidade de romper barreiras impostas por esse sistema limitante. "Paulo Freire" é o título do quarto capítulo do livro, em que a autora se inspira para falar da influência deste educador em sua vida e quanto se sentiu conectada com os trabalhadores camponeses de Guiné-Bissau, mesmo ela tendo vivido numa comunidade rural do sul dos Estados Unidos.

A pensadora faz uma análise interessante sobre uma pedagogia sem fronteiras impostas, que possa ser pensada em uma rede de solidariedade. No nono capítulo, "Estudos feministas: acadêmicas negras", a autora critica a falta da análise racial no campo dos estudos de gênero. Para hooks, a mulher negra tem um papel central na reformulação e no aprofundamento do pensamento feminista por trazer olhares a partir do seu lugar social. Esse incômodo com a invisibilidade das mulheres negras, porém, já havia sido abordado em Ain't I a woman: black women and feminism ("E eu não sou uma mulher: mulher negra e feminismo", em tradução livre), seu primeiro livro, publicado em 1981, cujo título fora baseado no famoso discurso homônimo de Sojouner Truth.

Além disso, ao abordar o amor como prática de liberdade, hooks alerta para o fato de como indivíduos, mesmo anticapitalistas, acabam muitas vezes tratando o outro como objeto de consumo. Ou seja, há uma consciência formada a respeito das diversas desigualdades e da raiz que as formam, mas não é o bastante para que seja abrangente ou, ao menos, respeitosa para com as lutas alheias. Destaco essa construção intelectual com base no amor e no afeto verdadeiro por abranger o que estamos discutindo sobre empoderamento, principalmente na rede de soma de subjetividades que constroem um coletivo. Ao passo que as pessoas se tratam com respeito, reconhecendo o valor da humanidade no outro e distante da ideia do uso ou do descartável, com mais fios construirão a teia de um grupo social empoderado. Por essa razão, hooks questiona quem se solidariza na luta contra a opressão de raça, porém corrobora com a de gênero, como é o caso de lideranças negras masculinas, além das próprias mulheres engajadas na luta pelo feminismo, mas que têm dificuldades em reconhecer o sistema racial vigente.

> [...] Fico intrigada com poderosos líderes negros visionários que podem falar e agir apaixonadamente em resistência a dominação racial e abraçar a dominação sexista de mulheres; com feministas brancas que trabalham diariamente para erradicar o sexismo, mas que tem grandes pontos cegos quando se trata de reconhecer e resistir ao racismo e à dominação por parte da supremacia branca no planeta. (HOOKS, 2013, passim)

Percebam que hooks usa os verbos "reconhecer" e "resistir", que denotam um agir, colocando-se em contraposição, assim como Freire o fazia, a casos em que indivíduos apenas se conscientizam sem potencial transformador da ação, da prática. Encontramos em Audre Lorde a mesma percepção de que considerar apenas a conscientização de sujeitos oprimidos não se traduz em ganho imediato para a coletividade, uma vez que diversas frentes precisam ser articuladas para ampliar a visão da real diversidade que somos, enquanto seres humanos, pois,

> [...] em algum lugar, à margem da consciência, há o que eu chamo uma norma mítica, que cada um de nós conhece nos nossos corações "Esse não é eu". Na América, esta norma ge-

> ralmente é definida como branco, magro, masculino, jovem, heterossexual, cristão e financeiramente seguro. Com essa norma mítica que as armadilhas do poder reside nessa sociedade. Aqueles de nós que ficam de fora desse poder geralmente identificam uma maneira pela qual somos diferentes e acreditam ser a principal causa de toda a opressão, esquecendo-se de outras distorções em torno da diferença, algumas das quais nós mesmos podemos estar praticando. Em geral, dentro do movimento de mulheres hoje, mulheres brancas se concentram na opressão que as atinge por serem mulheres e ignoram diferenças de raça, orientação sexual, classe e idade. Existe a pretensão de uma homogeneidade de experiência encoberto pela palavra irmandade que não existe de fato. (LORDE, 1984, passim, tradução minha)[22]

Obviamente, as experiências práticas têm mostrado quanto é difícil o desenrolar de um processo de empoderamento de todo um grupo, tendo alguns atores, ainda que conscientizados a respeito da existência da opressão, atuando de forma reducionista e cuidando apenas de erradicar aquilo que os aflige.

Nesse sentido, os estudos e as experiências do feminismo negro, bem como as lutas empreendidas nesse campo de resistência, têm ressignificado os caminhos que se acreditou, até então, serem oportunos para o empoderamento de grupos minoritários. O entendimento do pensamento de Kimberlé Crenshaw,

Audre Lorde, Sueli Carneiro, entre outras, remete ao fato de que não é possível hierarquizar as opressões, considerando algumas mais urgentes que as outras, e sim olhar a partir de uma perspectiva interseccional, identificando como elas se inter-relacionam e em que elas se somam, potencializando seus efeitos sobre um grupo de indivíduos. Nesse aspecto, é preciso levar em conta que se trata de um ponto a se pensar sobre a real conscientização que indivíduos apresentam sobre o sistema como um todo, ainda que não seja conveniente esquecer que há uma tendência de que oprimidos reproduzam comportamentos opressores internalizados. As revolucionárias reflexões de Crenshaw sobre interseccionalidade, como especificidade das dinâmicas das opressões, devem ser compreendidas.

> [...] Em um artigo anterior, usei o conceito de interseccionalidade para denotar as várias maneiras pelas quais raça e gênero interagem para moldar as múltiplas dimensões das experiências de emprego das mulheres negras. Meu objetivo era ilustrar que muitas das experiências que as mulheres negras enfrentam não são classificadas dentro das fronteiras tradicionais de raça ou discriminação de gênero, uma vez que essas fronteiras são atualmente compreendidas e que a intersecção do racismo e do sexismo afeta as vidas das mulheres negras de maneiras que não podem ser capturadas por completo, examinando as dimensões de raça ou gênero dessas experiências sepa-

> radamente. Aproveito essas observações aqui explorando as várias maneiras pelas quais raça e gênero se cruzam para moldar os aspectos estruturais, políticos e representacionais da violência contra as mulheres não brancas [...]. (CRENSHAW, 1994, p. 94, tradução minha) [23]

O empoderamento enquanto prática social necessária, no ápice de sua cooptação e distorção, tem sido literalmente vendido, sobretudo por aqueles que almejam manter o *status quo* formador de acúmulos e desequilíbrios sociais. Esse fenômeno social cria clãs de micro-opressores que não têm condições psicológicas para conduzir outros indivíduos pelos caminhos processuais de autodescoberta sociopolítica, simplesmente porque nem ao menos buscaram erradicar dentro de si mesmos as internalizações perversas do sistema de opressão a que estão expostos.

Entretanto, se por um lado é fácil, até certo ponto, detectar a cooptação do conceito pelo mercado ávido por vender empoderamento como mais uma facilidade esvaziada de sentido, por outro, há um alerta vermelho quando estamos diante de falácias sobre o conceito proferidas por lideranças políticas que atuam dentro dos movimentos sociais emancipatórios. Muitos indivíduos que lutam pela quebra dos sistemas de opressão e de dominação se julgam aptos a empoderar pessoas. No entanto, suas próprias condutas, por vezes totalitárias, por vezes estreitamente vinculadas à reprodução de opressões diversas, direcionadas ao seu meio já oprimido, desmentem qualquer possibilidade de que podem servir como condutores de sujeitos oprimidos na busca por sua emancipação sociopolítica. bell hooks, em seu ensaio "O amor como prática de liberdade", dá pistas sinceras de como e quando esses fenômenos acontecem:

> Sem uma ética do amor moldando a direção de nossa visão política e nossas aspirações radicais, muitas vezes somos seduzidas/os, de uma maneira ou de outra, para dentro de sistemas de dominação: imperialismo, sexismo, racismo, classismo. Sempre me intrigou que mulheres e homens que passam uma vida trabalhando para resistir e se opor a uma forma de dominação possam apoiar sistematicamente outras. Fiquei intrigada com poderosos líderes negros visionários que podem falar e agir apaixonadamente em resistência à dominação racial e aceitar e abraçar a dominação sexista das mulheres; com feministas brancas que trabalham diariamente para erradicar o sexismo, mas que têm grandes pontos cegos quando se trata de reconhecer e resistir ao racismo e à dominação por parte da supremacia branca do planeta. Examinando criticamente esses pontos cegos, concluo que muitas/os de nós estão motivadas/os a mover-se contra a dominação unicamente quando sentimos nossos interesses próprios diretamente ameaçados. Muitas vezes, então, o anseio não é

> para uma transformação coletiva de sociedade, para um fim da política de dominações; mas simplesmente para o fim do que sentimos que nos machuca. É por isso que precisamos desesperadamente de uma ética do amor para intervir em nosso desejo autocentrado por mudança. (HOOKS, *s. d.,* passim)

Infelizmente, em uma sociedade que mantém e propaga valores dúbios e uma moral condicionada a interesses que não traduzem as necessidades coletivas, não estamos livres de nos depararmos com indivíduos que mantêm seus pontos cegos, seja por ignorância ou por conveniência.

Nesse contexto, as intenções iniciais do conceito de empoderamento sofrem grande perigo da inversão de valores propostos, de deturpação e uso como mais um instrumento de dominação incorporado a uma espécie de atualização do *modus operandi* do sistema que almejamos desconstruir. Retomando o pensamento de Batliwala sobre essa questão do esvaziamento, encontramos uma reflexão fundamental sobre a necessidade de restituirmos de sentido práticas como o empoderamento em relação à transformação coletiva:

> Hoje, me faço uma pergunta simples: se esta palavra e a ideia representada por ela foram apreendidas e redefinidas por políticas populistas, ideologias fundamentalistas e neoconservadoras, administração corporativa,

> se tiverem sido reduzidas por microfinança e evangelistas, entre outras formas mais genéricas, despojadas de todos os vestígios de poder e política, vale a pena reivindicá-la?
> Na verdade, sim. E deve ser recuperada porque nossa visão de transformação social continua sendo de importância única, em um mundo onde balas mágicas e soluções mecânicas tentam evadir os processos mais fundamentais da justiça social que estavam no cerne do pensamento feminista desde os primeiros dias. Mas a tarefa de recuperação tem três componentes vitais. Em primeiro lugar, precisamos realmente recuperar as agendas – como o empoderamento – e os espaços para envolver o discurso principal do qual fomos marginalizados: os espaços de outros movimentos sociais como a justiça econômica, o meio ambiente e os direitos humanos, onde o gênero não está mais presente. (BATLIWALA, 2007, on-line, tradução minha)[24]

Considerando o empoderamento sob uma ótica não apenas conceitual, mas também prática e aplicável, é possível pensar em dimensões necessárias que ramificam esse processo e que nos permitem ter uma noção de fato de que caminhos são válidos e, principalmente, quais os perigos e, até mesmo, os momentos em que podem haver fissuras que facilitem o escoamento do sentido e da necessidade real do processo como instrumento emancipatório dentro de um sistema de dominação e opressão. O processo de entendimento e desenvolvimento de cada uma dessas dimensões vai culminar no empoderamento de sujeitos em simbiose com o empoderamento da coletividade. E esse processo, além de necessário, é indissociável das lutas por emancipação sociopolítica.

Quando identifica que há uma tecnologia de articulação de opressões estruturais de raça e gênero, Patricia Hill Collins dá pistas claras da necessidade de sermos pragmáticos no entendimento e aplicabilidade do conceito de empoderamento em nosso meio social. Essa identificação e aplicabilidade devem transpassar áreas também estruturais da formação de subjetividades ou na reconstrução destas. Ou seja, todas as possibilidades devem ser trabalhadas e, quando necessário, ressignificadas e/ou reconstruídas. Como exemplo, podemos pensar em autoestima, ascensão econômica, acesso à cultura e informação, formação de lideranças, entre outras práticas. Assim, percebemos, com as autoras citadas, que o empoderamento já era utilizado como importante estratégia de sobrevivência e resistência de mulheres negras e, após sua teorização, estas, principalmente as feministas negras, pensam de uma maneira mais abrangente ao ter a interseccionalidade como ferramenta essencial de estratégia e de luta política.

ESTÉTICA E AFETIVIDADE: NOÇÕES DE EMPODERAMENTO

> […] contornos irrecuperáveis que minhas
> mãos tentam alcançar.
> Beatriz Nascimento, no documentário *Òrí*

Discussões apaixonadas se formam em torno da pergunta: estética é empoderamento? Talvez essas discussões pudessem ser reduzidas se entendêssemos os valores que circulam em torno da estética que é inerente à imagem e em que medida a maneira com que padrões criados no cerne de uma sociedade plurirracial e patriarcal podem ser fatalmente excludentes e desestimulantes da autoestima de grupos historicamente oprimidos.

Estética, uma palavra originária do grego *aisthesis*, significa, genericamente, percepção ou sensação. É a parte da Filosofia que estuda o que julgamos e percebemos daquilo que é considerado belo, as emoções que essa percepção produz e a definição entre o que é de fato belo ou não. Portanto, o belo é uma percepção e como percepção pode ser alterada, manipulada ou influenciada. E isso tem acontecido ao longo da história. Os conceitos estéticos acerca do belo têm mudado de acordo com valores e intenções da época. Houve um tempo em que belo era o corpo adiposo, de formas voluptuosas, curvilíneos, fartos. Nos anos 1980, experimentamos os meios de comunicação aliados à moda que pautava a magreza esquelética como ideal. Afora todo o pensamento desenvolvido por diversos filósofos e pensadores no estudo da estética e de seus significados, há uma confluência a partir de uma consideração.

Temos, então, nesse campo, um elemento importante nos processos de dominação de grupos historicamente oprimidos, pois, uma vez que se criam padrões estéticos pautados pela hierarquização das raças ou do gênero, concomitantemente criamos dois grupos: o que é aceito e o que não é aceito e, portanto, deve ser excluído para garantir a prevalência do que é socialmente desejado. Assim se deu com o fenótipo da raça negra, desde o período colonial, que, de acordo com Grada Kilomba, é "a máscara [que] não pode ser esquecida. Ela foi uma peça muito concreta, um instrumento real que se tornou parte do projeto colonial europeu por mais de 300 anos" (KILOMBA, 2016b, p. 5).

Nossa visão de nós mesmos começa a ser distorcida e influenciada de forma extremamente negativa e agressiva por obra do colonizador. Ele precisaria incutir em nossas mentes a perspectiva que o favorecia e que era a de inferioridade e desumanização, pois "agora, em face da resistência dos colonizados, a violência assumirá novos contornos, mais sofisticados; chegando, às vezes, a não parecer violência, mas verdadeira 'superioridade'" (GONZALEZ, 1988, p. 71).

Seguimos a partir daí e ao longo da História em um mergulho profundo e quase irreversível em um estado de alienação a respeito de nós mesmos e de nossa autoimagem. As consequências desse mergulho foram passadas de geração em geração, até chegarmos aqui, nesse momento histórico em que pessoas negras, que estudam e refletem para atuar na esfera da formação de saberes, começam a se confrontar com as distorções em todos os níveis em que foram largamente alimentadas. Porém, não à custa de um mergulho profundo em si mesmo, mas na busca interior por suas raízes culturais, emocionais, artísticas, afetivas etc. Um resgate, é exatamente essa a palavra. Um resgate lento e gradual daquilo que fomos e que podemos retomar para continuar sendo.

Parece-me inquestionável que, sem o fortalecimento da autoestima, não temos força para iniciar sequer um processo lúcido de empoderamento. E autoestima, ao contrário do que prega a banalização conceitual do termo, não está ligada exatamente às considerações que fazemos acerca de nossas belezas estéticas. Como afirma León,

> O empoderamento como autoconfiança e autoestima deve integrar-se em um sentido de processo com a comunidade, a cooperação e a solidariedade. Ao ter em conta o processo histórico que cria a carência de poder, torna-se evidente a necessidade de alterar as estruturas sociais vigentes; quer dizer, se reconhece o imperativo da mudança. (LEÓN, 2001, p. 97)

Uma mulher negra pode alisar os cabelos na busca consciente ou inconsciente pela estética europeia/caucasiana que foi cunhada pelo colonizador como aceitável, agradável, desejável. Embora essa deturpação de suas características fenotípicas possa lhe trazer uma sensação de bem-estar diante do espelho, a manutenção deste cabelo exigirá uma série de cuidados, incluindo táticas para que ele passe despercebido pelos outros. E assim a insatisfação que essa mulher negra nutre em seu interior acaba revigorando, diante das dificuldades para manter a aparência colonizada, as rejeições do sistema racista que sempre a vitimaram. Ao se deparar com uma mulher branca de cabelos naturalmente lisos jogando-se ao mar sem nenhuma amarra, a frustração irá alimentar o auto-ódio implantado e desenvolvido ao longo da História, mesmo que de forma involuntária.

Nesse momento, olhando mais de perto, temos as intersecções de opressão machista e racista pautando a existência de mulheres negras, pois ao homem negro algumas cobranças estéticas para aproximá-lo à imagem do homem caucasiano são facultativas. Os cabelos são um importante elemento estético de autoafirmação e de amor à própria imagem, sobretudo para mulheres, independentemente de suas etnias. E esse estigma recai sobre os ombros de mulheres negras desde a mais tenra infância, pois nossos cabelos são alvo constante de injúrias, rejeições e manifestações racistas, esteja ele alisado ou ao natural. Convém relembrar a canção "Nega do cabelo duro" (1940), composta por Rubens Soares e David Nasser e interpretada por diversos nomes da MPB: "Nega do cabelo duro/Qual é o pente que te penteia?/Qual é o pente que te penteia?"

O cabelo da mulher negra torna-se, desde muito cedo, um fardo difícil que, ao longo de nosso crescimento e desenvolvimento físico, pesa cada vez mais na autoestima e abala a percepção de nossa identidade, pois, independentemente de nossas escolhas estéticas e dos cuidados que temos com eles, os preconceitos raciais, estereótipos e clichês que foram implantados com a finalidade de ridicularizar esse atributo permanecem solidificados no senso comum da opinião pública e necessitam de um árduo trabalho de ressignificação para libertar os indivíduos dessas estrátégias de desqualificação da estética negra. Parecem, então, muito coerentes discursos e narrativas de enfrentamento do racismo vigente, que exaltam os cabelos como elemento de orgulho racial, pois amá-los significa cuspir de volta para a boca do sistema racista todas as ofensas, rejeições, exclusões que são direcionadas às mulheres negras ao longo de toda uma vida.

Mas os cabelos são apenas um primeiro elemento, e de grande importância, que responde sozinho, sobretudo nas mulheres negras, pelo orgulho necessário para dar início aos processos de empoderamento. Há também a aceitação dos sinais fenotípicos do rosto e do corpo, além da cor da pele. O rosto da mulher negra, que traz as informações reais das origens africanas, também é alvo constante de escárnio e depreciação. O nariz e a boca são campeões nisso. Humoristas e comediantes, com seus trabalhos marcadamente racistas e desumanizadores, sempre usaram esses elementos como parte de suas piadas, exagerando e caricaturando de maneira extremamente violenta. O intolerável *blackface*, técnica teatral utilizada no início do século XX, que consistia em fantasiar pessoas brancas de negras de forma grotesca, é um exemplo clássico de como os veículos de comunicação e as artes em geral tiveram – e ainda têm – papel importante no flagelo da autoestima e autoaceitação de indivíduos negros.

Imaginemos uma criança em plena década de 1960 que, por sorte – ou azar –, assistia aos comerciais e aos programas de TV excludentes que trabalhavam incansavelmente para a elevação do padrão caucasiano como o único a deter beleza, elegância etc., além de caricaturar a imagem de sujeitos negros, aguçando a repulsa racista já devidamente plantada no imaginário social. O efeito óbvio na criança negra seria de repulsa a si mesma, e na criança branca, de superioridade quanto à sua condição e de rejeição da condição da criança negra. Essa questão perdura nos dias de hoje, fazendo com que os negros e negras que apontam esses crimes premeditados e intencionais sejam destratados e tachados de rebeldes, vitimistas ou o equivalente e oposto ao real impulso de autodefesa de sua dignidade e da dos seus.

Nesse campo da estética, porém, há uma resistência por parte das pessoas negras ao criarem movimentos sucessivos de reafirmação da beleza negra e da valorização de nossas imagens afro-brasileiras. Devemos, sim, chamar esses movimentos de resistência, pois disputam em um campo tomado pelo poder branco dominante que detém os mecanismos necessários para articular e influenciar multidões de cidadãs e cidadãos: os meios de comunicação.

Durante décadas, desde que a televisão foi criada e se tornou um veículo autêntico de comunicação de massas, por volta de 1964, diariamente pessoas negras são bombardeadas com a informação de inadequação e/ou inexistência. Aquele aparelho que gradativamente adentrava os lares brasileiros constituídos por indivíduos que não questionaram e, portanto, não eliminaram a mentalidade colonial antinegros, viabilizava a consolidação pacífica e cordial desse ideário de hierarquização racial. Em programas, novelas, filmes, propagandas etc., a imagem da pessoa negra oscilava entre a escassez premeditada e aceita pela branquitude, que sempre quis se assemelhar a cidadãos do continente europeu, negando ao máximo suas raízes afro-ameríndias, e o vilipêndio descarado de nossas identidades, cimentando no imaginário de toda uma sociedade a forja de uma existência casual ou causal, a exemplo das novelas da Rede Globo que dialogavam e reproduziam os costumes e a mentalidade da segunda metade do século XX, e que nunca levaram ao ar uma história negra completa, com família, afetos, trabalho, desejos e anseios, tão comuns quanto os de qualquer pessoa branca retratada nesse mesmo veículo. Os símbolos de beleza exaltados e os protagonistas na maioria das vezes foram brancos.

Até mesmo ao adaptar a literatura que explicita a presença de personagens negros que viviam em territórios negros, como é o caso das histórias de Jorge Amado, eles eram embranquecidos e reforçavam os ideais de mestiçagem nacional, que, em verdade, se resumia à cultura do branqueamento como forma de recuperação da dignidade do povo brasileiro "manchada" pela negritude africana que aqui foi depositada. E é contra esse discurso que se abre a possibilidade de aplicação da autodefinição, que pode mudar de maneira decisiva a autoimagem de toda a população negra. Patricia Hill Collins reflete que

> a insistência quanto à autodefinição das mulheres negras remodela o diálogo inteiro. Saímos de um diálogo que tenta determinar a precisão técnica de uma imagem para outra que ressalta a dinâmica do poder que fundamenta o próprio processo de definição em si. Feministas negras têm questionado não apenas o que tem sido dito sobre mulheres negras, mas também a credibilidade e as intenções daqueles que detêm o poder de definir. Quando mulheres negras definem a si próprias, claramente rejeitam a suposição irrefletida de que aqueles que estão em posições de se arrogarem a autoridade de descreverem e analisarem a realidade têm o direito de estarem nessas posições. Independentemente do conteúdo de fato das autodefinições de mulheres negras, o ato de insistir na autodefinição dessas mulheres valida o poder de mulheres negras enquanto sujeitos humanos. (COLLINS, 2016, p. 103-104)

Muitas são as críticas sobre limites e incongruências do potencial da estética no processo de empoderamento. Todas pecam sobremaneira quando subestimam a potência que gera a confiança na própria imagem. Não é possível passar por um processo de empoderamento produtivo se não nos fortalecermos e nos encontrarmos em nossa própria pele. Sem um trabalho contínuo para erradicar do lugar naturalizado na sociedade a crença de que pessoas negras são inadequadas, desprovidas de harmonia e beleza física, torna-se extremamente difícil para esses sujeitos, atingidos diretamente por essa ideologia do padrão caucasiano como única forma aceitável, criar mecanismos interiores de autoamor e autovalorização.

Isso acontece principalmente quando consideramos que nas culturas ocidentais o belo/bonito é sinônimo de superioridade, ou seja, ultrapassa o campo da estética, uma vez que o senso comum aponta que tudo que é bonito só pode ser bom. Exemplos disso são os contos de fadas – ainda que atualmente exista uma tendência a se basear na diversidade –, cujo principal viés é de demarcar o espaço de vilãs, vilões, heroínas e heróis através da beleza.

Malcolm X, em um de seus emocionantes discursos para as massas que lutavam contra as violências do racismo nos Estados Unidos, perguntou: "Quem te ensinou a odiar seu cabelo, seu nariz, a cor da sua pele?"[25]. O que ele perguntou, de forma mais específica, foi quem te ensinou a odiar sua imagem ou aparência. Ou, mais especificamente ainda, quem acabou com sua possibilidade de amar a si mesmo a partir daquilo que pode ser visto.

É fundamental para o processo de luta no campo da estética que fique evidente que toda essa construção negativa da imagem da pessoa negra não teve outra motivação senão sociopolítica. A inferiorização da aparência e da estética negra em detrimento da branca foi tão somente uma das tecnologias empregadas para sustentar e justificar o sistema de opressão e exploração de sujeitos para acúmulo de privilégios sociais e, exatamente por isso, fica evidente a necessidade de quebrar esse esquema que perdura com eficácia secular.

> Durante séculos de escravidão, a perversidade do regime escravista materializou-se na forma como o corpo negro era visto e tratado. A diferença impressa nesse mesmo corpo pela cor da pele e pelos demais sinais diacríticos serviu como mais um argumento para justificar a colonização e encobrir intencionalidades econômicas e políticas. Foi a comparação dos sinais do corpo negro (como o nariz, a boca, a cor da pele e o tipo de cabelo) com os do branco europeu e colonizador que, naquele contexto, serviu de argumento para a formulação de um padrão de beleza e de fealdade que nos persegue até os dias atuais. (GOMES, 2002, p. 42)

O poema "Eu, também", de Langston Hughes, intelectual que estava entre os expoentes de um dos movimentos afirmativos mais expressivos dos afro-americanos e que ficou conhecido como Renascimento do Harlem (1920-1940). Em prol da liberdade de expressão, o poema insinua na última estrofe que "eles verão quão bonito eu sou"; relata, entre outras coisas, sobre a quebra de estereótipos e clichês racistas que apontam, na imagem da pessoa negra, uma inferioridade ou fealdade, como descreve:

> Eu, também, canto a América
>
> Eu sou o irmão mais preto.
> Quando chegam as visitas,
> Me mandam comer na cozinha.
> Mas eu rio
> E como bem,
> E vou ficando mais forte.
>
> Amanhã,
> Quando chegarem as visitas
> Me sentarei à mesa.
> Ninguém ousará,
> então,
> me dizer:
> "Vá comer na cozinha."
>
> Além do mais,
> Eles verão quão bonito eu sou
> E se envergonharão
>
> Eu, também, sou a América. (HUGHES, 2011, on-line)

Frente a esses diversos e intermináveis apontamentos, que poderiam se estender e se desdobrar em inúmeros outros, concluímos que não podemos confundir ou esvaziar o sentido político do fortalecimento da estética nos processos de empoderamento individual que afeta o coletivo. Tampouco podemos subestimar seu potencial político de apoio à reconstrução da imagem de sujeitos negros, de qualquer idade e em qualquer tempo.

Esvaziar conceitualmente o empoderamento pelo argumento falacioso da busca simplista pela estética perfeita seria reduzi-lo a uma simples exaltação caricata e fragilizada de uma beleza dissociada das raízes negras, da ancestralidade africana que carregamos e da herança que isso representa, iniciando, a partir desse entendimento, um movimento de valorização real e afetiva de cada elemento do fenótipo negro que é ridicularizado e desvalorizado pelos sistemas de dominação que se servem largamente da alienação de características positivas e da distorção da autoimagem negra. Isso é resultado de um fortalecimento gradual de nossa admiração por nós mesmos e não está dissociado de uma carga mínima que seja de informação histórica. Esse fortalecimento também será pautado pela representatividade, pois, à medida que as pessoas negras se veem de maneira positiva nos espaços mais diversos, é que reconhecem e assimilam a possibilidade da própria imagem como positiva. Muitas são as formas de se trabalhar esses movimentos que são inerentes e se intercalam em intensidade, e a principal é a imagética. As pessoas negras precisam se ver de forma positiva, literalmente, pois essas imagens vão ressignificar o imaginário que será abalado e simultaneamente reconstruído.

O cinema, o teatro, a televisão, a moda, a música, a dança e todas as expressões artísticas serão ferramentas importantes para que essa prática seja implantada e justamente por isso esse é um dos campos mais perversos em relação ao racismo atuante. Nesses lugares de trabalho imagético, negros e negras são sistematicamente excluídos, dando a ideia de que não existem enquanto seres artísticos e, portanto, portadores de estética desejável ou, ainda, são colocados em número desproporcional em relação aos brancos e em lugares de pouca visibilidade. Há também a representação negativa e/ou fortalecedora dos estereótipos já consolidados como do homem negro perigoso, a mãe preta, a mulata fogosa, entre outros.

É fato que o feminismo negro ou o movimento de mulheres negras, dentro dos feminismos, foi responsável pelo resgate conceitual e ressignificação do empoderamento. Tendo como fator limítrofe a permanência na base da pirâmide social, esse resgate mostra-se fundamental para nossa movimentação na luta pela quebra da formação hegemônica dessa pirâmide. Podemos chamar de resgate porque não é novidade para os movimentos de mulheres negras a necessidade de busca por processo de empoderamento como condição de sobrevivência. Ainda que o campo teórico tenha nascido das mãos de homens brancos, foram as práticas interseccionais que cunharam, de forma irreversível, esse conceito no rol de ações e estratégias de luta de todos os movimentos por emancipação e libertação sociopolítica.

Muito antes de se saberem feministas e se posicionarem nessa trincheira de luta por ajustes sociais, as mulheres negras já praticavam intuitivamente o conceito de empoderamento, aplicando estratégias de fortalecimento da autoestima e de reconhecimento de seus potenciais.

Angela Davis, em *Mulheres, cultura e política*, dedica um capítulo inteiro à força descomunal e à perseverança admirável de Winnie Mandela. A própria autora também é um exemplo de empoderamento construído e aplicado em momentos críticos de sua história. O fato é que, ao conseguirmos erradicar a estratégia racista de despersonalização e alienação da imagem negra, nos fortalecemos e podemos caminhar gradativamente rumo à aceitação da autoimagem e posterior admiração. Como podem as pessoas negras reagir às agressões do mundo exterior se, ao se depararem com o reflexo no espelho, o único sentimento é de inadequação e repulsa pela aparência que caracteriza nossa identidade? Qual seria a motivação de lutar por emancipação e equidade racial e de gênero se carregamos um sentimento constante de distorção e não pertencimento pautado pela estética que aponta ausência de beleza e, portanto, de qualidades humanas louváveis? Nos versos da música "Eu sô função", Dexter, ex-membro do grupo de rap Racionais MC's, escreve: "Se ser preto é assim, ir pra escola pra quê?/ Se o meu instinto é ruim e eu não consigo aprender" (EU SÔ FUNÇÃO, 2005, on-line).

O fortalecimento visível de sujeitos brancos, bem como suas manifestações de liberdade e aceitação em toda e qualquer situação, por mais tímido ou retraído que possa ser, indica quanto é impossível o pleno desenvolvimento e o gozo da cidadania plena sem admiração por si mesmo, por sua imagem, sua cultura e sua história. Pessoas negras, em especial as mulheres, assimilaram e trabalharam esse aspecto, de forma consciente ou não. E o instinto de sobrevivência facilitou a inserção nesse campo e a propagação de técnicas e modos de articulações positivas, capazes de aquecer, aproximar e trocar diversas experiências fortalecedoras, inclusive entre gerações. Não fosse essa experiência quase espiritual de ressignificação da autoimagem da mulher negra, ainda que timidamente, nossas ancestrais de luta teriam sucumbido às diversas violências das práticas de desestruturação humana empregadas pelo racismo. Mulheres negras, em toda a diáspora, sentindo-se vitimadas pelas técnicas de atuação do racismo intercalado à lógica patriarcal solidificada e naturalizada, saíram e ainda saem em busca de modos de sobrevivência, fortalecimento mútuo e instrumentalização prática das lutas diárias, no âmbito familiar, profissional ou afetivo.

Infelizmente, no Brasil, muitas informações históricas foram covardemente apagadas dos compêndios e o pouco que sobrou foi deturpado, deixando apenas o que era conveniente para os sistemas de dominação alienadores. Mas, quando observamos nossas correspondentes – ou nossas irmãs de cor, como algumas gostam de chamar –, constatamos facilmente que mulheres negras nunca estiveram de braços cruzados. Tomando isso como análise, a postura de homens intelectuais negros, em especial aqueles que se destacaram na vida pública ou artística a partir da década de 1960, em que a autoafirmação da estética negra não suplantava algumas demonstrações claras de auto-ódio expresso pela rejeição a mulheres negras, tanto para convívio social quanto para relações afetivas, não podemos nos dar ao luxo de desprezar os limites do fortalecimento da individualidade negra através da estética e da aceitação da beleza do fenótipo e da genética negra.

Nem todas as pessoas negras que usam turbantes, dreadlocks, tranças, cabelo natural ou qualquer outro elemento estético que demarca o seu pertencimento à negritude estão conscientes das barreiras políticas que essa aparência impõe e de quanto ainda terão de trabalhar interna e externamente para amadurecer as práticas – intelectuais e psicológicas – que levam ao empoderamento, que será expresso por um verdadeiro amor a si mesmo, a sua aparência real de pessoa negra e aos traços de ancestralidade que carregamos na raiz de nossa formação como indivíduo.

Em outras palavras, o limite do fortalecimento da subjetividade de pessoas negras pela estética é a linha divisória que o coloca, de fato, em permanente autonomia diante da rejeição, da ridicularização e de todos os desestímulos que o posicionamento racista da branquitude é capaz de usar como arma de enfraquecimento e alienação para manter o sistema de dominação e opressão histórica de toda a população negra.

É, sem sombra de dúvida, um trabalho tão árduo quanto necessário, pois o primeiro contato que temos conosco se dá pela aparência, um dos campos de ataque racista mais comumente usado pela branquitude em seus movimentos quase silenciosos que visam concretizar sua falsa posição de superioridade social.

Somos bonitos ou somos feios – guardadas as devidas adequações ao conceito real de belo, que é pautado pela proporção, pelo estilo e pela harmonia das formas e dos desenhos da figura humana – tanto quanto qualquer um pode ser. E a adequação ou não aos parâmetros estabelecidos pelo conceito filosófico de belo/beleza/estética não molda caráter nem anula outras qualidades humanas, tampouco cria juízo de valor, como fazem supor os perversos contos de fadas escritos para doutrinar o imaginário infantil com as ignorâncias já cultivadas e perpetuadas por adultos. É fundamental que enxerguemos a estética como um dos pilares do processo de empoderamento. Veja bem, um dos pilares, não mais nem menos importante que os outros que serão expostos mais adiante.

Uma boa relação com nossa autoimagem é uma ferramenta importante de reconhecimento de valores ancestrais ou de reafirmação de necessidade de aprofundamento na busca pelo autoconhecimento de nossa história e entendimento de nossa condição social de indivíduo negro. Mas de maneira alguma devemos concluir que apenas isso basta ou ainda que toda pessoa que consegue transgredir esteticamente está empoderada ou absorvida pelo significado político da estética ancestral africana.

Indivíduos negros erroneamente avaliados como empoderados, tendo como critério apenas a autoafirmação da estética negra, podem provocar a banalização das lutas antirracismo, pois reproduzirão e expressarão equívocos racistas que lhes foram ensinados e internalizados por toda a vida, tornando-se caricatura nas mãos da branquitude atenta a essas fragilidades da questão racial.

No caso de mulheres negras, em especial feministas negras, podemos considerar com certo comedimento e generosidade um passo importante que é a autoafirmação expressa pelo uso dos cabelos naturais ou com penteados que remetem à africanidade, pelo uso pontual de exageros ou extravagâncias estéticas de toda ordem, pela relação ressignificada com seu próprio fenótipo ou traços negroides expressa por exibição insistente que deixa explícita a valorização da beleza que foi categoricamente rejeitada e deturpada pelas práticas racistas.

Lélia Gonzalez discorre em seu brilhante artigo sobre o conceito de amefricanidade, alertando para as diferenças na expressão do racismo que ocorrem em território europeu e latino-americano, pontuando que, na América Latina, a expressão do racismo é disfarçada, sorrateira o bastante para persuadir pessoas negras de que não estão diante de um sistema de dominação racista. Também salienta que o branqueamento como ideologia e prática, exaustivamente veiculado pelos meios de comunicação, cravou no imaginário social a superioridade da raça branca.

Esse mito tem trabalhado para a negação da identidade negra, minando a confiança na imagem por meio da propagação de uma estética padronizada e excludente, hipervalorizada e definida como única forma de ser perfeito:

> O racismo latino-americano é suficientemente sofisticado para manter os negros e índios na condição de segmentos subordinados no interior das classes mais exploradas, graças a sua forma ideológica mais eficaz: a ideologia do branqueamento. Veiculada pelos meios de comunicação de massa e pelos aparelhos ideológicos tradicionais, ela reproduz e perpetua a crença de que as classificações e os valores do Ocidente branco são os únicos e verdadeiros universais. Uma vez estabelecido, o mito da superioridade branca demonstra sua eficácia pelos efeitos de estilhaçamento, de fragmentação da identidade racial que produz: o desejo de embranquecer (de "limpar o sangue" como se diz no Brasil) é internalizado, com a simultânea negação da própria raça, da própria cultura. (GONZALEZ, 1988, p. 73)

Conhecendo a trajetória dos veículos de comunicação de massa e da mídia tradicional, e considerando o racismo uma ideologia e prática estrutural, estruturante e institucional, concluímos facilmente que a forma mais usada para a alienação e o estilhaçamento de que fala Gonzalez não poderia ser outro senão o trabalho imagético de perpetuação da ideia de inferioridade da pessoa negra, valendo-se da hipervalorização da estética branca como ideal de perfeição. Considerando também que a importância narcísica que a sociedade confere à beleza estética ao atribuir maior valor humano aos que possuem o perfeito encaixe nos padrões estabelecidos, temos um dos quadros mais perversos de alienação e aliciamento político de indivíduos que, aliados a outros fatores, contribuiu sobremaneira para a fragilidade que ainda ecoa no íntimo de maioria dos indivíduos negros, inclusive daqueles que aparentemente brecaram a atuação dessa tecnologia racista dentro de si, uma vez que sujeitos negros, quando não manifestam rejeição a si mesmos, o fazem de maneira externa e, quase inconscientemente, rejeitando tudo aquilo que ele julga ter eliminado. Essa é uma das raízes da famigerada discussão sobre o preterimento e celibato definitivo de mulheres negras que sofrem a dura rejeição de homens negros, os quais preferem mulheres brancas na ânsia de ter a brancura que tanto almejam, como bem exemplifica Frantz Fanon em *Peles negras, máscaras brancas*:

> Da parte mais negra de minha alma, através da zona de meias-tintas, me vem este desejo repentino de ser branco.
> Não quero ser reconhecido como negro, e sim como branco. Ora – e nisto há um re-

> conhecimento que Hegel não descreveu –,
> quem pode proporcioná-lo, senão a branca?
> Amando-me ela me prova que sou digno de
> um amor branco. Sou amado como um bran-
> co. Sou um branco.
>
> Seu amor abre-me o ilustre corredor que con-
> duz à plenitude... Esposo a cultura branca, a
> beleza branca, a brancura branca.
>
> Nestes seios brancos que minhas mãos oni-
> presentes acariciam, é da civilização branca,
> da dignidade branca que me aproprio. (FA-
> NON, 2008, p. 69)

Obviamente, a manifestação desse desejo repentino de ser branco se dá pelo aprisionamento elencado pela rejeição de si mesmo e de sua aparência negra em detrimento da brancura que lhe parece ser única portadora de dignidade. Notem que o desejo repentino de ser branco, vem da parte mais negra da alma desse homem negro. Seria a parte mais negra de sua alma a que comporta toda a alienação psicológica que o induz a odiar a si mesmo e tudo que possa lembrar a sua ancestralidade negra, ou seja, é onde ele se vê tal qual ele é, um homem negro, e exatamente por isso, é dali que brota o desejo de ser branco alimentado pela percepção exata de si mesmo e da rejeição automática que se dá frente a essa percepção.

Devemos considerar também, independentemente do nível de consciência racial que o indivíduo negro apresenta, a reafirmação de sua estética ancestral africana. Este ato é invariavelmente um incentivo ou uma fonte de inspiração poderosa capaz de fazer a todas as pessoas negras o chamado simbólico para a beleza real que as características estéticas da negritude tem, dispondo inconscientemente da mesma prática usada pelos meios de comunicação de massa para inserir no senso comum dos espectadores que apenas a aparência branca é admirável, aceitável e desejável.

A afirmação da estética negra é, sim, um combate difícil diante de todas as estratégias de negação e alienação de mentalidades negras acerca da validação de sua aparência. Podemos seguramente afirmar que esse movimento vem sendo realizado com mais responsabilidade nas lutas do feminismo negro, que vem abrindo espaço nas mídias hegemônicas, no mercado da cosmetologia e da estética, na moda etc., uma vez que muitas mulheres se inspiram na aparência de muitas feministas negras – ou mesmo aquelas que não têm nenhum vínculo ideológico com o feminismo negro – que avançaram dentro do que o cerco racista permitiu, tensionando um sistema petrificado que excluía e/ou colocava a beleza da mulher negra como exótica, casual ou esporádica.

As indústrias de cosméticos e artigos de cuidados estéticos em geral se depararam nos últimos anos com consumidoras cada vez mais exigentes, que não aceitam mais gastar seus recursos financeiros com criações que não foram pensadas para atender a suas necessidades. Essas consumidoras, em grande número, começaram a produzir ou consumir produtos de fora

– na medida do possível – ou simplesmente entupir os Serviços de Atendimento ao Consumidor das empresas com reclamações, reafirmando a exigência de cuidados direcionados exclusivamente para essas mulheres de características diferentes das caucasianas. Porém, o debate sobre o capitalismo nesse viés se torna essencial: as empresas deixaram de investir tanto em produtos de alisamento para investir nos de cachos, ou seja, o capital ainda segue nas mãos de quem detém o poder, ainda que tenhamos algumas iniciativas e pequenos empreendimentos de pessoas negras.

Estamos longe do ideal, mas é inegável que avançamos nesse sentido. Linhas inteiras de produtos formulados para cabelos crespos, maquiagens para todos os tons de pele negra, cremes e filtros solares específicos etc. O trabalho expressivo de youtubers e influenciadoras digitais negras também faz importante frente na luta pela valorização da estética negra, uma vez que, mesmo longe do discurso feminista ou racial, dialogam com a própria imagem, dizendo e reafirmando que, sim, pessoas negras, sobretudo mulheres negras, são naturalmente bonitas.

Elas definem e ressignificam a si mesmas, um exemplo positivo a ser seguido por quem se enxerga semelhante a elas. Exercem a eficiência da representatividade, ainda que a maioria esteja apartada das dimensões existentes nos processos de empoderamento. Apesar dos avanços no campo do autocuidado para mulheres negras e da valorização estética, é preciso alertar para um dos aspectos levantados pela discussão feminista, que é a não obrigação de mulheres estarem bonitas.

Essa imposição da beleza, ao longo da História, deixou uma larga brecha para a livre incursão dos mais variados estereótipos, que, aplicados à sociedade, além de corroborar com o esquema de hierarquização de mulheres, estimula a rivalidade feminina – no âmbito das práticas de dominação e opressão por gênero. Mas não só isso. Para a mulher negra, tais discussões se mostram fundamentais, pois, em toda sociedade racista, ela é excluída do conjunto de apontamentos que estabelece quem é portador da beleza real.

Essa construção perversa do conceito de beleza é um exemplo oportuno para o aprofundamento das reflexões, já que torna muito visível a intersecção entre as opressões machistas e racistas, e quanto é ilusório para mulheres brancas a insistência em manter silenciosamente o lugar da beleza construído pela opressão de raça e gênero. Ainda que para a mulher branca pareça conveniente ocupar esse lugar, é absolutamente importante o entendimento de que não é conveniente mantê-lo e muito menos sentir-se confortável dentro dele, já que é também aprisionador.

Nem todas as mulheres brancas atendem aos padrões que compõem esse lugar, ou seja, seu caráter excludente é permanente e ainda fortalece o alto valor aparente que esse lugar prenuncia, que não é humano nem respeitado como deveria. Em outras palavras, mesmo as mulheres brancas consideradas bonitas se deparam com diversas práticas machistas direcionadas a elas a partir da construção desumana desse lugar que não é capaz de agregar ou valorizar outras qualidades, senão as que objetificam e aprisionam pela busca incessante em manter-se nele e/ou pela rejeição da própria imagem quando não se encaixam dentro dos padrões e requisitos que esse lugar exige.

Simone de Beauvoir, em *O segundo sexo* (2009), já alertava sobre o conceito de beleza como estratégia de controle masculino, uma vez que são os homens que detêm o lugar privilegiado de poder e decisão, que pautam o que é belo, bonito e desejável em uma mulher. Notem que o mesmo critério não se aplica à condição masculina. A questão da depilação é um bom exemplo. É execrável que a mulher mantenha os pelos do corpo e até os ostente. Isso é considerado, no mínimo, desleixo. Já os homens não só os mantêm, como também os ostentam como símbolo de masculinidade. Beauvoir discorre sobre como as mulheres estão sempre às voltas com a busca para permanecer dentro de padrões que não criamos. Padrões esses que são, de longe, impossíveis de serem alcançados por todas. A filósofa ainda reflete que

> o ideal da beleza feminina é variável; mas certas exigências permanecem constantes. Entre outras, exige-se que seu corpo ofereça as qualidades inertes e passivas de um objeto, porquanto a mulher se destina a ser possuída. A beleza viril é

> a adaptação do corpo a funções ativas, é a força,
> a agilidade, a flexibilidade, a manifestação de
> uma transcendência a animar uma carne que
> não deve nunca recair sobre si própria. O ideal
> feminino só é simétrico em sociedades como
> as de Esparta, da Itália fascista, da Alemanha
> nazista, que destinavam a mulher ao Estado e
> não ao indivíduo, que a consideravam exclusi-
> vamente como mãe e não atentavam em abso-
> luto para o erotismo. Mas, quando a mulher é
> entregue ao homem como um bem, o que ele
> reclama é que nela a carne esteja presente em
> sua pura facticidade. Seu corpo não é tomado
> como a irradiação de uma subjetividade, mas
> sim como uma coisa empastelada em sua ima-
> nência; esse corpo não deve lembrar o resto do
> mundo, não deve ser promessa de outra coi-
> sa senão de si mesmo: precisa deter o desejo.
> (BEAUVOIR, 2009, p. 229-230).

Refletimos anteriormente sobre o fortalecimento necessário que pode surgir por meio da estética e da sustentação do processo de empoderamento. No entanto, é prudente reforçar que, sem o entendimento político do que a estética representa enquanto importante instrumento de contranarrativa, ela se esvazia e perde a força de motivar e movimentar todo um grupo. Olhar-se no espelho e se achar bela/bonita não implica necessariamente uma aceitação pautada pelo amor a si própria. Se não percebemos que devemos entender a beleza e amá-la porque houve movimentações políticas que induziram o pensamento contrário a isso, não avançaremos no processo de empoderamento.

Quando falo em reconhecer a beleza em si mesmo, refiro-me também ao reconhecimento dessa beleza em nossos pares sociais. Em uma sociedade que estimula o culto à autoimagem, encontramos pessoas negras que se consideram belas, mas não reconhecem beleza em seu semelhante negro. Ou seja, o que essa pessoa cultua nela está muito mais relacionado ao narcisismo ensinado em nossa sociedade do que à compreensão política do que representa amar a negritude projetada na estética do outro. Isso é especialmente comum em homens negros e se confirma quando pensamos a sério no preterimento afetivo de mulheres negras. Muitos homens negros que se pensam empoderados e que são até militantes ativos ostentam sua imagem e parecem ter orgulho dela, realçando inclusive aquilo que não deveriam: estereótipos. Mas todo esse aparente autoamor é colocado em xeque diante da projeção de sua negritude na estética de mulheres negras. A repulsa indisfarçável, aliada ao culto da beleza padronizada pela branquitude, indica que não há um entendimento político da importância de sua estética. Ao contrário, indica um recuo perigoso que enfraquece e causa confusão quanto a suas ações que visam à emancipação da coletividade.

A rejeição exacerbada e desqualificadora da beleza padronizada pela branquitude também confunde, no sentido de fazer parecer uma valorização dos elementos da estética negra. Não é atitude que exala certeza política e/ou segurança sobre o valor estético de si mesmo desqualificar sujeitos brancos e suas feições. Se entendemos que não há um padrão projetado nas características físicas e estéticas de pessoas brancas e compreendemos que se trata tão somente de estratégia política o uso e a imposição da estética branca como elemento hierarquizador e supervalorizado, não temos a intenção de desqualificá-la, e sim de entender que o fenótipo negro não só é harmonioso, como também é portador de beleza e merecedor de admiração.

Esse entendimento é necessário sobretudo para mulheres negras que, compreensivelmente, projetam a repulsa do homem negro por sua estética reconhecida na mulher negra e na mulher branca, ridicularizando-as da mesma forma que o sistema racista tem feito com elas. É contraproducente alimentar rivalidades entre mulheres, sobretudo quando estamos diante de uma luta pela emancipação coletiva de seres humanos que vivem sob o sistema de opressão de gênero. São linhas tênues e ações que, de tão naturalizadas, estão assentadas como entraves importantes que desarticulam grupos minoritários de dentro para fora e precisam ser percebidas, entendidas e eliminadas, sob pena de comprometer todas as lutas, em momentos difíceis de diagnosticá-los e de lhes dedicar um tratamento eficiente.

Nesse sentido, é sempre oportuno lembrar os dizeres da feminista afro-americana Toni Cade

Bambara e estabelecer esse pensamento como uma potente e eficaz estratégia política: "A revolução começa com o Eu, no EU" (LEWIS, 2014, on-line).

Compreender a avaliação de si mesmo e, principalmente, conseguir detectar o que o sistema conseguiu adulterar em nosso interior é um ato político importante. É lavar-se de toda a carga violenta e limitadora que os sistemas de opressão e dominação conseguiram implantar em nosso âmago. No filme *O grande desafio* (2007), que levanta uma importante reflexão sobre o empoderamento, o professor Melvin B. Tolson, interpretado por ator Denzel Washington, é um articulador político que em suas aulas acessa o nível psicológico de seus alunos na universidade, estimulando a confiança deles em seu próprio conhecimento e, vez por outra, trazendo à tona uma abordagem sutil de suas vidas pessoais, nos assuntos que identificam como comum a toda pessoa negra, ou seja, a dimensão familiar da atuação dos sistemas de dominação e opressão.

Aprofundando o que pensamos quando falamos em afetividade, na definição de Henri Wallon (1959), que se dedicou a esse estudo tornando-a peça central de toda sua obra, seria ela um domínio funcional cujo desenvolvimento é dependente de uma ação conjunta de dois fatores estruturantes: o orgânico e o social. Ambos mantêm uma estreita relação, equilibrando-se para suprir possíveis desajustes ocasionais entre um e outro, e não podem ser consideradas deterministas quando analisamos sua função no desenvolvimento humano. Segundo o estudioso, "[...] a constituição biológica da criança ao nascer não será a lei única do seu futuro destino. Os seus efeitos podem ser amplamente transformados pelas circunstâncias sociais, da sua existência, onde a escolha individual não será ausente" (WALLON, 1959, p. 288 apud ALMEIDA, 2008, p. 347).

Essa fundamentação teórica de Wallon é a linha condutora para pensarmos na função da afetividade nos processos de empoderamento. Se há, na teoria, a assunção de uma interferência social no desenvolvimento da afetividade, e aqui estamos nos referindo a uma sociedade estruturada pelos sistemas de opressão e dominação, então a percepção empírica da influência social nas relações entre indivíduos que envolvem afetividades deve ser considerada ou ao menos vista com critérios. Ainda nos estudos sobre afetividade, fica esclarecido que a afetividade é constituída pelo conjunto de emoções, boas ou ruins, que influem diretamente no estado de bem-estar dos indivíduos.

Essa compreensão foi desenvolvida por bell hooks quando ela explicita a necessidade do amor aplicado nos meios de militância, ou seja, em grupos minoritários que pleiteiam transformações sociais completas. Questionar os padrões relacionais e nossos sentimentos e projeções alavancados por eles passa a ser uma das necessidades dentro de processos de empoderamento.

Para grupos dominantes, o autoamor é construído ao longo de suas vidas, seja pelo reforço positivo da masculinidade – no caso dos homens –, seja pelo reforço positivo estimulado pela visão de si mesmo em todos os espaços, principalmente como padrão de tudo de melhor que a pele branca significa. Mas, para grupos oprimidos, o desgaste na relação desenvolvida consigo mesmo é tremendamente afetado pela pressão social negativa, tanto pela ausência de sua autoimagem como reforço positivo quanto pela insatisfação alimentada pela crença assimilada das estratégias de grupos dominantes, de inferioridade e subalternidades "naturais". Em outras palavras, os grupos oprimidos passam por processos contínuos de desqualificação, enfraquecendo sistematicamente suas possibilidades de desenvolver o autoamor e o reconhecimento de seus pontos positivos e até de sua humanidade. Sendo assim, ainda podemos considerar a rejeição a si mesmo, enquanto indivíduo, projetada em seus pares sociais, promovendo a impossibilidade de formarem relações saudáveis, sejam de amor, sejam de amizade.

Falar de afetividade de um modo global é falar do cultivo da autoestima em sua completude, não isolando a aceitação estética como central, mas considerando-a em conjunto com um movimento no sentido de aprender a amar-se de fato para poder distribuir esse amor de maneira fluida, inspirando e influenciando aqueles cuja sensibilidade está adormecida pelas técnicas entorpecentes de desestruturação pessoal e coletiva de um sistema opressor.

Por outro lado, não há como negar a existência de impeditivos sociais para que esse determinado grupo, etnicamente definido, alcance certos patamares sociais, significando que esse(s) indivíduo(s) se encontrem ceifados em suas possibilidades. Como é possível, então, a essas pessoas se amarem, se respeitarem e se valorizarem, quando se encontram diante desses impeditivos, senão pela via da luta social em busca do que é seu por direito social, jurídico e na ordem do direito humano? (JULIO, 2011).

O processo de fortalecimento da autoestima e estratégias conscientes de desenvolvimento das relações consigo mesmo também fazem parte de um processo ativo de empoderamento e devem ser levados a sério, embora nem sempre nos meios de militância isso seja considerado um elemento indiretamente político. Para as mulheres negras, tendo em vista as condicionantes que influem no acúmulo da experiência como sujeito oprimido, esse processo torna-se invariavelmente uma questão de sobrevivência. Sempre é necessário alertar mulheres negras para que estabeleçam um ritmo próprio de fortalecimento e reinvenção de si mesmas, pois as violências que as atingem as descaracterizam e as desestruturam continuamente enquanto não são compreendidas.

Assim sendo, em todos os lugares e tempos, enquanto as opressões se fazem atuantes, o trabalho de estímulo ao autoamor deve ser também contínuo, seja pelo autocuidado, pela alimentação do intelecto ou pelo cultivo de um bom relacionamento com outras mulheres negras, tendo em vista que ser gentil com aquelas que servem de espelho social é uma ação emocional empoderadora, pois significa agir com gentileza em relação a elas mesmas. Isso não significa, evidentemente, aturar abusos ou romancear esses relacionamentos, pautando-os pelas lógicas eurocêntricas de hierarquia entre mulheres, tendo como base a divisão entre boa ou má, até mesmo porque

> [...] a mudança também pode ocorrer no espaço privado e pessoal da consciência de uma mulher individual. Igualmente fundamental, esse tipo de mudança é também pessoalmente empoderador. Qualquer mulher Negra individual que é forçada a permanecer "imóvel do lado de dentro" pode desenvolver o "lado de dentro" de uma consciência modificada como esfera de liberdade. É essencial se tornar pessoalmente empoderado por meio do autoconhecimento, mesmo em condições que limitam severamente a habilidade de agir. (COLLINS, 2019, passim).

Também cabe aqui uma breve reflexão sobre o preterimento afetivo e o celibato definitivo de mulheres negras. É importante detectar essa fissura interna das relações desenvolvidas pela população negra e entendê-la como mais uma das tecnologias de dominação, aliciamento e opressão. Alimentar a movimentação de homens negros na direção da rejeição de si mesmo projetada na presença física de mulheres negras, seus pares sociais, tem sido um jogo bastante eficiente. Estudos como o de Claudete Alves (2010) e Ana Cláudia Lemos Pacheco (2013) sobre afetividade de mulheres negras são fundamentais para entendermos essas questões. Em *Virou regra?*, Alves aborda as consequências do preterimento das mulheres negras, fazendo uma análise histórica e crítica das raízes e da manutenção desse preterimento, enquanto Pacheco, em seu livro *Mulher negra: afetividade e solidão*, relata como a mulher negra está fora, de maneira geral, do "mercado afetivo" e naturalizada no lugar da ultrassexualização, o que a autora chama de mercado do sexo.

Há uma representação social baseada na raça e no gênero que regula as escolhas afetivas das mulheres negras. A mulher negra e mestiça estaria fora do "mercado afetivo" e naturalizada no "mercado do sexo", da erotização, do trabalho doméstico, feminilizado e "escravizado"; em contraposição, as mulheres brancas pertenceriam, nessas elaborações, "à cultura do afeto", do casamento, da união estável (PACHECO, 2013, p. 26).

Porém, cabe ressaltar, voltando a bell hooks, que muitas mulheres permanecem nesse estado de "solidão" porque não aceitam mais negociar suas humanidades para caberem em modelos opressores. Recusando-se a ser vítimas, compreendem estar em um modelo de relacionamento opressor, pois entendem como urgente o debate sobre masculinidade; os homens têm se responsabilizado pelas mudanças para não infligirem dores emocionais às mulheres negras. Seria preciso que mulheres negras tenham considerações mais amplas sobre afetividade e reinventem novas formas de vivenciá-las, tendo em vista o modelo racializado com que as relações se dão, ao colocar esse grupo em situação de extrema desvantagem, como bem pontua Alex Ratts no livro sobre a vida de Beatriz Nascimento:

> Há poucas chances para ela numa sociedade em que a atração sexual está impregnada de modelos raciais, sendo ela representante da etnia mais submetida. Sua escolha por parte do homem passa pela crença de que seja mais erótica ou mais ardente sexualmente que as demais, crenças relacionadas às características do seu físico, muitas vezes exuberantes. Entretanto quando se trata de um relacionamento institucional, a discriminação étnica funciona como um impedimento, mais reforçado à medida que essa mulher alça uma posição de destaque social. No contexto em que se encontra cabe a essa mulher a desmistificação do conceito de amor, transformando este em dinamizador cultural e social (envolvimento na atividade política, por exemplo), buscando mais a paridade entre os sexos do que a "igualdade iluminista". Rejeitando a fantasia da submissão amorosa, pode surgir uma mulher preta participante, que não reproduza o

comportamento masculino autoritário, já que se encontra no oposto deste, podendo assim, assumir uma postura crítica intermediando sua própria história e seus ethos. Levantaria ela a proposta de parcerias nas relações sexuais que, por fim, se distribuiria nas relações sociais mais amplas. (NASCIMENTO, 1990, p. 3 apud RATTS, 2006, p. 75)

CONSIDERAÇÕES FINAIS

Percebemos que existe uma tradição internacional de estudo do empoderamento enquanto categoria conceitual e teoria aplicada, dialogando com as mais variadas áreas do conhecimento, como Economia, Direito, Saúde Pública, Serviço Social, Administração Pública etc. E esse é, sem sombra de dúvida, um vasto horizonte para pensar e agir em formas de resistência e superação de diversas opressões que atingem grupos oprimidos, tanto na academia quanto na prática emancipadora. Infelizmente, apesar de toda a riqueza de sentido e de tantos pesquisadores que se debruçam sobre o tema, muitas vezes presenciamos o seu esvaziamento e uma discussão sem seriedade, acrítica, que não faz jus ao potencial candente deste debate.

Nesse sentido, inspirados em Freire, hooks, Collins, Davis, Batliwala, partimos daqueles e daquelas que consideram o empoderamento uma aliança entre o conscientizar-se criticamente e o transformar na prática algo contestador e revolucionário em sua essência. Partimos de quem entende que os oprimidos devem empoderar-se entre si. O que muitos e muitas podem fazer para contribuir para isso é semear o terreno para tornar o empoderamento fértil, tendo consciência, desde já, que, ao fazê-lo, entramos no terreno do inimaginável: o empoderamento tem a contestação e o novo em seu âmago, revelando, quando presente, uma realidade sequer antes imaginada. É, sem dúvida, uma verdadeira ponte para o futuro.

Vale dizer que é importante se empoderar no âmbito individual, porém é preciso que também haja um processo no âmbito coletivo. Quando falamos em empoderamento, estamos nos referindo a um trabalho essencialmente político, ainda que perpasse todas as áreas da formação de um indivíduo e todas as nuanças que envolvem a coletividade. Do mesmo modo, quando questionamos o modelo de poder que envolve esses processos, entendemos que não é possível empoderar alguém. Empoderamos a nós mesmos e amparamos outros indivíduos em seus processos, conscientes de que a conclusão só se dará pela simbiose do processo individual com o coletivo.

Quando o conceito de empoderamento é distanciado de seus sentidos originais, o resultado costuma ser a apropriação do discurso para venda de um empoderamento pasteurizado, de fachada, paternalista, mais interessado em manter o estado atual das coisas do que em estimular o caldo efervescente de personalidades e demandas silenciadas por opressões que se cruzam. Ressaltamos que, em uma realidade capitalista, é importante criar estratégias de fortalecimento econômico, e tal demanda é fundamental para o surgimento de condições favoráveis ao empoderamento. Vale para fortalecimento financeiro, estético, afetivo, entre tantos que oxigenam a corrida grupos oprimidos pela existência digna, sobretudo de mulheres negras. Pela ressignificação do feminismo negro, ampliamos o conceito de humanidade, bem como o potencial transformador, nomeando realidades por produções teóricas e redes de empoderamento que trazem a dimensão individual, comunitária e coletiva de afirmação, valorização e reconhecimento.

NOTAS E REFERÊNCIAS

Notas

1. No original: "[...] in our name" (HALL, 1990, p. 222).

2. No original: "The process of gaining freedom and to do power what you want or to control what happens to you" (CAMBRIDGE DICTIONARY, 2018).

3. "MorDebe é uma base de dados que contém palavras do português, apresentando mais de 135.000 lemas e cerca de 1,5 milhões de formas flexionadas e, que fornece informação sobre as características formais do léxico do português como a ortografia, a flexão e as relações morfológicas entre palavras" (BAQUERO, 2012, p. 174).

4. No original: "Of all the buzzwords that have entered the development lexicon in the past thirty years, "empowerment" is probably the most widely used and abused. Like many other important terms that were coined to represent a clearly political concept, it has been "mainstreamed" in a manner that has virtually robbed it of its original meaning and strategic value" (BATLIWALA, 2017, on-line).

5. No original: "Empowerment is a construct that links individual strengths and competencies, natural helping systems, and proactive behaviors to social policy and social change (Rappaport, 1981, 1984). Empowerment theory, research, and intervention link individual well-being with the larger social and political environment. Theoretically, the constructo connects mental health to mutual help and the struggle to create a responsive community. It compels us to think in terms of wellness verus illness, competence versus deficits, and strength versus weaknesses. Similarly empowerment research focuses on identifying capabilities instead of cataloging risk factors and exploring environmental influences of

social problems instead of blaming victims" (PERKINS; ZIMMERMAN, 1995, p. 570).

6. No original: "Definitions of empowerment abound. We did not ask the authors in this special issue to adhere to any particular definition. We did, however, ask them to carefully consider their own conceptions of empowerment and to make their definitions as clear as possible. Although we urge the reader to compare each article's conceptualization, they all imply that empowerment is more than the traditional psychological constructs with which it is sometimes compared or confused (e.g., self-esteem, self-efficacy, competency, locus of control). The various definitions are generally consistente with empowerment as 'an intentional ongoing process centered in the local community, involving mutual respect, critical reflection, caring, and group participation, through which people lacking an equal share of valued resources gain greater access to and control over those resources' (CorneUEmpowerment Group, 1989) or simply a process by which people gain control over their lives, democratic participation in the life of their community (Rappaport, 1987), and a critical understanding of their environment (Zimmerman, Israel, Schulz, Checkoway, 1992)" (PERKINS; ZIMMERMAN, 1995, p. 570).

7. No original: "The effects of negative images of black are traced as they operate in major social institutions such as the family, peer groups, and schools. These effects are connected to the emergence of characteristic personal and social problems encountered in black communities. Following upon an earlier discussion, empowerment is defined as a process whereby self direction and the helping process are the healing and strengthening forces among blacks" (SOLOMON, 1976, p. 27).

8. No original: "Empowerment refers to principles, such as the ability of individuals and groups to act in order to ensure their own well-being or their right to participate in decision-making that concerns them, that have guided research on and social intervention among poor and marginalized populations for several decades in the United States (Simon 1994). Not until the 1970s, and especially the 1976 publication of Black Empowerment: Social Work in Oppressed Communities by Barbara Solomon, however, does the term formally come into usage by social service providers and researchers" (CALVÈS, 2009, p. 737).

9. Nesse sentido, conferir a Teoria da Delimitação de Sistemas desenvolvida pelo intelectual afro-brasileiro, "um sistema social em que os indivíduos envolvem-se em atividades automotivantes, que possibilitem a singularidade aflorar, mas com consciência social" (SIMON, 2015, p. 11).

10. No original: "The concept of women's empowerment emerged from critiques and debates generated by the women's movement during the 1980s, when feminists, particularly in what was then known more widely as the 'third world' (Before the term 'global south' gained currency), were growing discontent with the largely apolitical and economistic models in prevailing development interventions. There was at the time growing interaction between feminism and the 'conscientisation' approach developed by Paulo Freire in Latin America. But where Freire ignored gender and the subordination of women as a critical element of liberation, there were other important influences on activists and nascent social movements at this time: among them the rediscovery of Antonio Gramsci's 'subalterns' embodying and the hegemonic role of dominant ideologies, the

emergence of social construction theory and post-colonial theory" (BATLIWALA, 2017, on-line).

11. No original: "Una de las contradicciones fundamentales en el uso del término 'empoderamiento' lo expresa el debate entre el empoderamiento individual y el colectivo. Para quienes lo usan desde el área de lo individual, con énfasis en los procesos cognitivos, el empoderamiento se circunscribe al sentido que los individuos le autoconfieren. Toma um sentido de dominio y control individual, de control personal. Es 'hacer las cosas por sí mismo', es 'tener éxito sin la ayuda de los otros'. Ésta es una visión individualista, que lleva a señalar como prioritarios a los sujetos independientes y autónomos con un sentido de dominio de sí mismos, y desconoce las relaciones entre las estructuras de poder y las prácticas de la vida diaria de los individuos y grupos, además de que desconecta a las personas del amplio contexto sociopolítico, histórico, de lo solidario, de lo que representa la cooperación y lo que significa el preocuparse por el outro" (LEÓN, 2001, p. 97).

12. No original: "Este empoderamiento puede ser uma simple y mera ilusión, si no está conectado con el contexto y se relaciona con acciones colectivas dentro de un processo político. Si bien es cierto que resulta importante reconocer las percepciones individuales, no se puede reducir el empoderamiento de manera que ignore lo histórico y lo político. El empoderamiento incluye tanto el cambio individual como la acción colectiva. El empoderamiento como autoconfianza y autoestima debe integrarse en un sentido de proceso com la comunidad, la cooperación y la solidaridad. Al tener em cuenta el proceso histórico que crea la carencia de poder, se hace evidente la necesidad de alterar las estructuras sociales vigentes; es decir, de reconocer el imperativo del cambio" (LEÓN, 2001, p. 97).

13. No original: "The truncating of one's own testimony in order to insure that the testimony contains only contente for which one's audience demonstrates testimonial competence" (DOTSON, 2011, p. 242).

14. Para quem quiser se aprofundar, ver mais em Spivak (2018).

15. Para quem quiser se aprofundar no tema, recomendo o documentário realizado por Eliza Capai, da *Agência Pública*, em 2013.

16. Para quem quiser se dedicar mais ao tema de participação social, recomendo o artigo de Bittar (2014).

17. Para mais informações, consulte o link para acesso à íntegra do projeto, disponível em: http://splegisconsulta.camara.sp.gov.br/Pesquisa/DetailsResumido?COD_MTRA_LEGL=1&ANO_PCSS_CMSP=2016&COD_PCSS_CMSP=393.

18. "Apesar da garantia expressa desses direitos na legislação oficial, os procedimentos de participação nas tomadas de decisão e, em especial, para formulação das consultas aos povos tradicionais ainda não se desenvolveu ao ponto de significar um processo de diálogo que seja capaz de proporcionar a comunicação não apenas das decisões já tomadas pelo Estado, como ocorreu desde o início da exploração colonial, mas também dos interesses e discordâncias por parte de todos os interlocutores envolvidos" (PERUZZO, 2017, p. 2.719-2.720).

19. Nesse sentido: "É certo que os movimentos sociais organizados têm sido protagonistas em apontar e lutar pela alteração dos problemas para a política,

como ocorreu com a normativa que permitiu a instalação de equipamentos públicos em comunidades certificados e o que possibilitou a isenção do Imposto Territorial Rural (ITR) para as comunidades quilombolas. Essas mudanças, entretanto, têm todas sido feitas à fórceps, tendo em vista que os mecanismos de participação social da política são ainda frágeis, particularmente, se consideradas não a sua existência, mas a absorção das sugestões ao programa. Um exemplo dessa frágil absorção do conceito de participação social é o próprio processo de regulamentação do procedimento de consulta prévia da Convenção 169 da OIT, constantemente denunciado por prescindir do conhecimento e da participação dos principais interessados na construção desse marco legal: os indígenas, quilombolas, as comunidades e povos tradicionais" (SILVA, 2015, p. 159).

20. No inglês, "Moving beyond Pain" foi um texto que bell hooks escreveu sobre o álbum *Lemonade*, da cantora estadunidense Beyoncé.

21. No original: "Coming to womanhood in the segregate South I had never heard black women talk about themselves as victims. Facing hardship, the ravages of economic lack and deprivation, the cruel Injustice of racial apartheid. I lived in a world where women gained strength by sharing knowledge and resources, not by bonding on the basis of being victims. Despite the incredible pain of living in a racial apartheid, Southern black people did not speak about ourselves as victims even when we were downtrodden. We identified ourselves more by the experience of resistance and triumph than by the nature of our victimization. It was a fiven that life was hard, that there was suffering. It

was by facing that suffering with grace and dignity that one experienced transformation. During civil rights struggle, when we joined hands to sing 'we shall overcome,' we were empowered by a vision of fulfillment, of victory" (HOOKS, 1996, p. 1).

22. No original: "Somewhere, on the edge of consciousness, there is what I call a mythical norm, which each one of us within our hearts knows "that is not me." In America, this norm is usually defined as white, thin, male, young, heterosexual, Christian, and financially secure. It is with this mythical norm that the trappings of power reside within this society. Those of us who stand outside that power often identify one way in which we are different, and we assume that to be the primary cause of all oppression, forgetting other distortions around difference, some of which we ourselves may be practising. By and large within the women's movement today, white women focus upon their oppression as women and ignore differences of race, sexual preference, class, and age. There is a pretense to a homogeneity of experience covered by the word sisterhood that does not in fact exist" (LORDE, 1984, passim).

23. No original: "In an earlier article, I used the concept of intersectionality to denote the various ways in which race and gender interact to shape the multiple dimensions of Black women's employment experiences (Crenshaw 1989, p. 139). My objective there was to illustrate that many of the experiences Black women face are not subsumed within the traditional boundaries of race or gender discrimination as these boundaries are currently understood, and that the intersection of racism and sexism factors into Black

women's lives in ways that cannot be captured wholly by looking at the women race or gender dimensions of those experiences separately. I build on those observations here by exploring the various ways in which race and gender intersect in shaping structural and political aspects of violence against women of color" (CRENSHAW, 1994, p. 94).

24. No original: "Today, I ask myself a simple question: if this word, and the idea it represented, has been seized and re-defined by populist politics, fundamentalist and neoconservative ideologies, and corporate management, if it has been downsized by micro-finance and quota evangelists, and otherwise generally divested of all vestiges of power and politics, is it worth reclaiming? Indeed it is. And it must be reclaimed because our vision of social transformation remains uniquely important, in a world where magic bullets and mechanical solutions attempt to evade the more fundamental processes of social justice that were at the core of feminist thinking from its earliest days. But the task of reclaiming has three vital components. First, we need to need to actually reclaim the agendas such as empowerment and the spaces for engaging the mainstream discourse from which we have been marginalised: the spaces of other social movements such as economic justice, the environment, and human rights, where gender is barely present anymore" (BATLIWALA, 2007, on-line).

25. O discurso de Malcolm X pode ser encontrado no YouTube: https://www.youtube.com/watch?v=RMj9AHmNOi4.

REFERÊNCIAS

ADICHIE, Chimamanda Ngozi. Os perigos da história única. **TEDGlobal 2009**. Disponível em: https://www.ted.com/talks/chimamanda_adichie_ the_danger_of_a_single_story?language=p. Acesso em: 5 mar. 2018.

ALMEIDA, Ana Rita Silva. A afetividade no desenvolvimento da criança. Contribuições de Henri Wallon. **Inter-Ação** – Rev. Fac. Educ. UFG, Goiânia, v. 33, n. 2, p. 343-357, jul./dez. 2008. Disponível em: https://www.revistas.ufg.br/interacao/article/download/5271/4688. Acesso em: 05 mar. 2018.

ALVES, Claudete. **Virou regra?** São Paulo: Scortecci Editora, 2010.

ARENDT, Hannah. **Sobre a violência**. 3. ed. Rio de Janeiro: Relume-Dumará, 2001.

BAQUERO, M. Construindo uma outra sociedade: o capital social na estruturação de uma cultura política participativa no Brasil. **Rev. Sociol. Polít.**, Curitiba, n. 21, p. 83-108, nov. 2003.

BAQUERO, M. **Reinventando a sociedade na América Latina**: cultura política, gênero, exclusão e capital social. Porto Alegre: UFRGS Editora; Brasília: Conselho Nacional dos Direitos da Mulher, 2001.

BAQUERO, Rute. Empoderamento: questões conceituais e metodológicas. **REDES** – Revista do Desenvolvimento Regional, v. 11, n. 2, p. 77-93, maio/ago. 2006.

BAQUERO, Rute Vivian Angelo. Empoderamento: instrumento de emancipação social? Uma discussão conceitual. **Revista Debates**, Dossiê Comemorativo – A situação das Américas: democracia, capital social e empoderamento, Porto Alegre, v. 6, n. 1, p. 173-187, jan./abr. 2012. Disponível em: https://seer.ufrgs.br/debates/issue/view/1650. Acesso em: 5 mar. 2018.

BATLIWALA, Srilatha. Putting power back into empowerment. **Open Democracy**, 30 jul. 2017. Disponível em: https://www.opendemocracy.net/en/putting_power_back_into_empowerment_0/. Acesso em: 5 mar. 2018.

BATLIWALA, Srilatha. The meaning of women's empowerment: new concepts from action. *In* CHENG, Lincoln C.; GERMAIN, Adrienne; SEN, Gita (Eds.). **Population Policies Reconsidered**: Health, Empowerment and Rights. Boston: Harvard University Press, 1994.

BEAUVOIR, Simone de. **O segundo sexo**. 2. ed. Rio de Janeiro: Nova Fronteira, 2009.

BITTAR, Eduardo C. B. O Decreto n. 8.243/2014 e os desafios da consolidação democrática brasileira. **Revista de Informação Legislativa**, ano 51, n. 203, p. 7-38, jul./set. 2014.

BORGES, Juliana. A urgência do pensamento feminista negro para a democracia. **Blog da Boitempo**, 6 abr. 2017. Disponível em: https:// blogdaboitempo.com.br/2017/04/06/a-urgencia-do-pensamento-feminista-negro-para-a-democracia/. Acesso em: 5 mar. 2018.

BRASIL. Decreto nº 8.423, de 23 de maio de 2014. Institui a Política Nacional de Participação Social – PNPS e o Sistema Nacional de Participação Social – SNPS, e dá outras providências. [Revogado pelo Decreto nº 9.759, de 11 de abril de 2019. Extingue e estabelece diretrizes para colegiados da administração pública federal.] Disponível em: http://www.planalto.gov.br/ccivil_03/_Ato2011-2014/2014/Decreto/D8243.htm. Acesso em: nov. 2019.

CALVÈS, Anne-Emmanuèle. Empowerment: The History of a Key Concept in Contemporary Development Discourse. **Revue Tiers Monde**, v. 4, n. 200, p. 735-749, 2009. Traduzido do francês por JPD Systems. Disponível em: https://www.

cairn-int.info/revue-revue-tiers-monde-2009-4-page-735.htm. Acesso em: 5 mar. 2018.

CAMBRIDGE DICTIONARY. **Empowerment**. Disponível em: https://dictionary.cambridge.org/pt/dicionario/ingles/empowerment. Acesso em: 5 mar. 2018.

CAMBRIDGE DICTIONARY. **Power**. Disponível em: https://dictionary.cambridge.org/pt/dicionario/ingles/power. Acesso em: 5 mar. 2018.

CAPAI, Eliza. Severina: as novas mulheres do sertão. **Pública** – Agência de Jornalismo Investigativo, 28 ago. 2013. Disponível em: https://apublica.org/2013/08/severinas-novas-mulheressertao/. Acesso em: 5 mar. 2018.

CARNEIRO, Aparecida Sueli; FISCHMANN, Roseli. **A construção do outro como não-ser com fundamento do ser**. 2005. Tese (Doutorado em Educação)–Programa de Pós-Graduação em Educação, Faculdade de Educação, Universidade de São Paulo, São Paulo, 2005. Disponível em: https://negrasoulblog.files.wordpress.com/2016/04/a-construc3a7c3a3o-do-outro-como-nc3a3o-ser-como-fundamento-do-ser-sueli-carneiro-tese1.pdf. Acesso em: 5 mar. 2018.

CARNEIRO, Sueli. Enegrecendo o feminismo: a situação da mulher negra na América Latina a partir de uma perspectiva de gênero. **Portal Geledés**, Mulher Negra, 6 mar. 2011. Disponível em: https://www.geledes.org.br/enegrecer-o-feminismo-situacao-da-mulher-negra-na-america-latina-partir-de-uma-perspectiva-de-genero/. Acesso em: 5 mar. 2018.

CEVA, Antonia Lana Alencastre; GONZALEZ, Lélia. Fazendo escola. **Revista Mosaico**, v. 6, n. 1, p. 22-28, jan./jun. 2015. Disponível em: https://www.researchgate.net/publication/313832341_Lelia_Gonzalez_-_fazendo_escola. Acesso em: 5 mar. 2018.

COLLINS, Patricia Hill. Aprendendo com a *outsider within*: a significação sociológica do pensamento feminista negro. **Revista Sociedade & Estado**, v. 31, n. 1, p. 99-127, 2016. Disponível em: http://www.scielo.br/scielo.php?pid=S0102-69922016000100099&script=sci_abstract&tlng=pt. Acesso em: 5 mar. 2018.

COLLINS, Patricia Hill. **Black Feminist Thought**: Knowledge, Consciousness, and the Politics of Empowerment. Nova York: Routledge, 2000.

COLLINS, Patricia Hill. **Pensamento feminista negro**: conhecimento, consciência e a política do empoderamento. Tradução: Jamille Pinheiro Dias. São Paulo: Boitempo, 2019.

COLLINS. **Verbing**. Disponível em: https://www.collinsdictionary.com/pt/dictionary/english/verbing. Acesso em: 5 mar. 2018.

CRENSHAW, Kimberlé Williams. Mapping the Margins: Intersectionality, Identity Politics, and Violence against Women of Color. *In* FINEMAN, Martha Albertson; MYKITIUK, Rixanne (Eds.). **The Public Nature of Private Violence**. Nova York: Routledge, 1994, p. 93-118.

DAVIS, Angela. **Mulheres, cultura e política**. São Paulo: Boitempo, 2016.

DICIONÁRIO AURÉLIO DE PORTUGUÊS ON-LINE. **Neologismo**. Disponível em: https://dicionariodoaurelio.com/neologismo. Acesso em: 5 mar. 2018.

DOTSON, Kristie. Tracking Epistemic Violence, Tracking Practices of Silecing. **Hypatia**, v. 26, n. 2, 2011.

EMPOWERMENT. **Blog Empowerment**. Disponível em: http://empowermentnyuswp1.blogspot.com.br. Acesso em: 5 mar. 2018.

EU SÔ FUNÇÃO. Intérprete: Função, Dexter e Mano Brown. Compositor: Dexter. **Exilado sim, preso não!** Intérprete: Dexter. [*S. l.*]: Atração Fonográfica, 2005. 1 CD, faixa 10. Disponível em: https://www.letras.mus.br/dexter/456319/. Acesso em: 5 mar. 2018.

FANON, Frantz. **Peles negras, máscaras brancas**. Tradução de Renato da Silveira. Salvador: EDUFBA, 2008.

FOUCAULT, Michel. **Microfísica do poder**. Rio de Janeiro: Graal, 1979.

FOUCAULT, Michel. **Vigiar e punir**: nascimento da prisão. Tradução de Raquel Ramalhete. Petrópolis: Vozes, 1987.

FREIRE, Paulo. **Conscientização**: teoria e prática da libertação, uma introdução ao pensamento de Paulo Freire. 3. ed. São Paulo: Editora Moraes, 1980.

FREIRE, Paulo. **Educação como prática da liberdade**. São Paulo: Paz & Terra. 1986.

FREIRE, Paulo. **Pedagogia do oprimido**. 17. ed. São Paulo: Paz & Terra, 1987.

FREIRE, Paulo; SHOR, Ira. **Medo e ousadia**: o cotidiano do professor. São Paulo: Paz & Terra, 1986.

GOHN, Maria da Glória. Empoderamento e participação da comunidade em políticas sociais. **Saúde e Sociedade**, v. 13, n. 2, 2004.

GOMES, Flávio; PAIXÃO, Marcelo. História das diferenças e desigualdades revisitadas: notas sobre gênero, escravidão, raça e pós-emancipação. **Estudos Feministas**, Florianópolis, v. 16, n. 3, set./dez. 2008.

GOMES, Nilma Lino. Trajetórias escolares, corpo negro e cabelo crespo: reprodução de estereótipos ou ressignificação cultural? **Revista Brasileira de Educação**, n. 21, p. 40-51, set./dez. 2002.

GONZALEZ, Lélia. A categoria político-cultural de amefricanidade. **Tempo Brasileiro**, Rio de Janeiro, n. 92-93, jan./jun. 1988.

HALL, Stuart. Cultural Identity and Diaspora. *In* RUTHERFORD, Jonathan (Ed.). **Identity Community, Culture Difference**. Londres: Lawrence and Whishart Limited, 1990.

HOOKS, bell. **Ensinando a transgredir**: a educação como prática da liberdade. Tradução de Marcelo Brandão Cipolla. São Paulo: Martins Fontes, 2013.

HOOKS, bell. **Killing Rage, Ending Racism**. Nova York: Henry Holt and Company, 1996.

HOOKS, bell. Movimentar-se para além da dor. Tradução de Charô Nunes e Larissa Santiago. **Blogueiras Negras**, 11 maio 2016. Disponível em: http://blogueirasnegras.org/2016/05/11/movimentar-se-para-alem-da-dor-bell-hooks/. Acesso em: 5 mar. 2018.

HOOKS, bell. **O amor como prática de liberdade**. [*S.l.: s.e., s.d.*]. Disponível em: https://docgo.net/philosophy-of-money.html?utm_source=bell-hooks-o-amor-como-a-pratica-da-liberdade-pdf&utm_campaign=download. Acesso em: 5 mar. 2018.

HUGHES, Langston. Dois poemas de Langston Hughes. **Salamalandro**, 13 set. 2011. Disponível em: http://www.salamalandro.redezero.org/2-poemas-de-langston-hughes/. Acesso em: 5 mar. 2018.

JULIO, Ana Luiza. Por uma visão psicossocial da autoestima de negros e negras. **Protestantismo em Revista** – Revista Eletrônica do Núcleo de Estudos e Pesquisa do Protestantismo da Escola Superior de Teologia, São Leopoldo, v. 24, p. 62-69, jan./abr. 2011. Disponível em: http://periodicos.est.edu.br/index.php/nepp/article/view/79. Acesso em: 5 mar. 2018.

KILOMBA, Grada. A Máscara. Traduzido por Jéssica Oliveira de Jesus. **Cadernos de Literatura em Tradução**, n. 16, p. 171-180, 10 maio 2016a. Disponível em: https://www.revistas.usp.br/clt/article/viewFile/115286/112968. Acesso em: 5 mar. 2018.

KILOMBA, Grada. Descolonizando o conhecimento: uma palestra-performance de Grada Kilomba. Tradução de Jéssica Oliveira. **Goethe-Institut**, São Paulo, Massa Revoltante, Episódios do Sul, Mostra Internacional de Teatro (MITsp), 6 mar. 2016b. Disponível em: http://www.academia.edu/23391789/Tradução_para_o_Português_de_DESCOLONIZANDO_O_CONHECIMENTO_Uma_PalestraPerformance_de_Grada_Kilomba. Acesso em: 5 mar. 2018.

KILOMBA, Grada. **Plantation Memories**: Episodes of Everyday Racism. Münster: Unrast Verlag, 2012. Disponível em: https://schwarzemilch.files.wordpress.com/2012/05/kilomba-grada_2010_plantation-memories.pdf. Acesso em: 5 mar. 2018.

LEÓN, Madalena. El empoderamiento de las mujeres: encuentro del primer y tercer mundos em los estudios de género. **Revista Estudos de Género**, Espanha, v. 2, n. 13, 2001.

LEWIS, Heidi R. Feminists We Love: Toni Cade Bambara. **The Feminist Wire**, 25 mar. 2014. Disponível em: http://www.thefeministwire.com/2014/03/revolution-begins-with-the-self/. Acesso em: 5 mar. 2018.

LORDE, Audre. Age, Race, Class and Sex: Women Redefining Difference. *In* LORDE, Audre. **Sister Outsider**: Essays and Speeches. Freedom: Crossing Press, 1984.

MALCOLM X: "QUEM TE ensinou a odiar a si mesmo?" [*S. l.: s. n.*]. 1 vídeo (1 min.). Publicado pelo canal cristovamrneto. 21 out. 2016. Disponível em: https://www.youtube.com/watch?v=RMj9AHmNOi4. Acesso em: 05 mar. 2018.

MERRIAM-WEBSTER DICTIONARY. **Empowerment**. Disponível em: https://www.merriam-webster.com/thesaurus/empowerment. Acesso em: 5 mar. 2018.

MOREIRA, Adilson José. Pensando como um negro: ensaio de hermenêutica jurídica. **Revista de Direito Brasileira**, v. 18, p. 393-420, 2017.

NASCIMENTO, Beatriz. A mulher negra e o amor. **Jornal Maioria Falante**, n. 17, fev./mar. 1990.

O GRANDE DESAFIO. Direção: Denzel Washington. Produção: Todd Black, Kate Forte, Joe Roth, Oprah Winfrey e outros. Intérpretes: Denzel Washington; Nate Parker; Jurnee Smollett; Forest Whitaker e outros. Roteiro: Robert Eisele. Los Angeles: Metro-Goldwyn-Mayer, 2007. 126 min., color.

PACHECO, Ana Cláudia Lemos. **Mulher negra**: afetividade e solidão. Salvador: EDUFBA, 2013.

PERKINS, Douglas D.; ZIMMERMAN, Marc A. Empowerment Theory, Research and Applications. **American Journal of Community Psychology**, v. 23, p. 569-579, Oct. 1995.

PERUZZO, Pedro Pulzatto. Direito à consulta prévia aos povos indígenas no Brasil. **Rev. Direito Práx.**, Rio de Janeiro, v. 8, n. 4, p. 2.708-2.740, 2017. Disponível em: https://www.scielo.br/pdf/rdp/v8n4/2179-8966-rdp-8-4-2708.pdf. Acesso em: 5 mar. 2018.

RAPPAPORT, J. In Praise of Paradox: a Social Policy of Empowerment over Prevention. **American Journal of Community Psychology**, Fairhaven, v. 9, n. 1, Feb. 1981.

RATTS, Alex. **Eu sou atlântica**: sobre a trajetória de vida de Beatriz Nascimento. São Paulo: Imprensa Oficial do Estado de São Paulo; Instituto Kuanza, 2006. Disponível em: https://www.imprensaoficial.com.br/downloads/pdf/projetossociais/eusouatlantica.pdf. Acesso em: 5 mar. 2018.

REGO, Walquiria Leão; PINZANI, Alessandro. **Vozes do Bolsa-família**: autonomia, dinheiro e cidadania. 2. ed. São Paulo: Editora Unesp, 2014.

RIBEIRO, Djamila. **O que é lugar de fala?** Belo Horizonte: Grupo Editorial Letramento, 2017. (Feminismos Plurais)

ROMANO, Jorge O.; ANTUNES, Marta. **Empoderamento e direitos no combate à pobreza**. Rio de Janeiro: Action Aid, 2002.

SANCHES, Mariana. O Bolsa-Família e a revolução feminista no sertão. **Marie Claire**, 21 nov. 2012 [16 out. 2015]. Disponível em: https://revistamarieclaire.globo.com/Mulheres-do-Mundo/noticia/2012/11/o-bolsa-familia-e-revolucao-feminista-no-sertao.html. Acesso em: 5 mar. de 2018.

SÃO PAULO. Projeto de Lei Executivo nº 393, de 2 de agosto de 2016. Dispõe sobre a institucionalização, consolidação e organização da Política Municipal de Participação Social, bem como cria o Sistema Municipal de Participação Social. Disponível em: http://legislacao.prefeitura.sp.gov.br/leis/projeto-de-lei-393-de-02-de-dezembro-de-2016//consolidado. Acesso em: 5 mar. 2018.

SARDENBERG, Cecília M. B. **Conceituando "empoderamento" na perspectiva feminista**. Transcrição revisada da comunicação oral apresentada no I Seminário Internacional Trilhas do Empoderamento de Mulheres – Projeto TEMPO, Núcleo de Estudos Interdisciplinares sobre a Mulher, Universidade Federal da Bahia, Salvador, 5-10 jun. 2006. Disponível em: https://repositorio.ufba.br/ri/handle/ri/6848. Acesso em: 5 mar. 2018.

SCARDUA, Maria José. **Entrevista concedida a Joice Berth**, mar. 2018.

SEN, Gita. Empowerment As an Approach to Poverty. **Working Paper Series**, v. 7, n. 97, dez. 1997.

SILVA, Allyne Andrade e. **Direito, desenvolvimento e políticas públicas: uma análise jurídica do Programa Brasil Quilombola**. 2015. Dissertação (Mestrado)–Programa de Pós-Graduação em Direito, Faculdade de Direito, Universidade de São Paulo, São Paulo, 2015. Disponível em: https://teses.usp.br/teses/disponiveis/2/2140/tde-18112016-103333/pt-br.php. Acesso em: 5 mar. 2018.

SIMON, Vanessa Silveira Pereira. **Trajetórias fenomênicas e empoderamento: histórias de vida de mulheres na economia social e solidária catarinense**. 2015. Tese (Doutorado)–Programa de Pós-Graduação em Administração, Centro Socioeconômico, Universidade Federal de Santa Catarina, Florianópolis, 2015. Disponível em: https://repositorio.ufsc.br/handle/123456789/160773. Acesso em: 5 mar. 2018.

SOLOMON, Barbara Bryant. **Black Empowerment**: Social Work in Oppressed Communities. Nova York: Columbia University Press, 1976.

SPIVAK, Gayatri Chakravorty. **Pode o subalterno falar?** – Especulações sobre o sacrifício das viúvas. Belo Horizonte: Editora UFMG, 2018.

STROMQUIST, Nelly P. Education As a Means for Empowering Women. *In* PARPART, J. L.; SHIRIN, Rai

M.; STAUDT, Kathleen (Eds.). **Rethinking Empowerment:** Gender and Development in a Global/Local World. Londres: Routledge, 2002.

SUPLICY, Eduardo Matarazzo. **Renda de cidadania:** a saída é pela porta. 7. ed. São Paulo: Cortez, 2013.

WALLON, Henri. Les Milieux, les groupes et la psychogenèse de l'enfant. **Enfance**, Paris, v. 4, n. 3, p. 287-296, mai/oct. 1959.

Impresso em março de 2023 na Edições Loyola, nas fontes Calisto MT e Bebas Neue, em Pólen Soft 80g no miolo e Ningbo 250g na capa.